Alain Ruiz

LES LARMES DU MAHARADJAH

TOME VII

Catalogage avant publication de Bibliothèque et Archives nationales du Québec et Bibliothèque et Archives Canada

Ruiz, Alain, 1969-

Les larmes du maharadjah

(Ian Flibus, l'écumeur des mers; 7)
Pour les jeunes de 10 ans et plus.

ISBN 978-2-89595-527-6

I. Titre. II. Collection: Ruiz, Alain, 1969- . Ian Flibus, l'écumeur des mers; 7.

PS8585.U528L37 2010jC843'.6C2010-941364-4
PS9585.U528L37 2010

Auteur: Alain Ruiz
Révision: Sophie Ginoux et Christine Barozzi
Correction: Sylvie Tremblay et Sophie Ginoux
Illustrations: Sardine Productions
Graphisme: Julie Deschênes

Dépôt légal — Bibliothèque et Archives nationales du Québec, 1ᵉʳ trimestre 2011

ISBN 978-2-89595-527-6

Gouvernement du Québec — Programme de crédit d'impôt pour l'édition de livres — Gestion SODEC

Boomerang éditeur jeunesse remercie la SODEC pour l'aide accordée à son programme éditorial.

Nous reconnaissons l'aide financière du gouvernement du Canada par l'entremise du Fonds du livre du Canada (FLC) pour nos activités d'édition.

ASSOCIATION NATIONALE DES ÉDITEURS DE LIVRES

Imprimé au Canada

À mes trois moussaillons,
Valentin, Laurayne et Kimberly

Table des matières

LE BALLON ENSORCELÉ

Au cœur de l'océan Indien, près de l'équateur, Flibus et ses amis pirates profitaient pleinement de leur quartier libre. Les cales étaient fraîchement remplies de gibier et d'une grande variété de fruits exotiques trouvés sur l'île déserte près de laquelle ils avaient jeté l'ancre. Cette escale avait aussi permis aux deux savants de *La Fleur de lys* de ramener quelques plants tropicaux, dans l'espoir de pouvoir les cultiver dans leur cabine.

À bord, la bonne humeur illuminait tous les visages. Depuis trois jours, la musique et les chants des quatre infatigables *Be Tall*, originaires de Liverpool, s'élevaient du matin au soir, accompagnés par le doux clapotis des vaguelettes qui venaient se frotter à la coque.

Toutes les conditions se prêtaient parfaitement à ces moments de détente bien mérités : un soleil pas trop mordant, une brise légère rafraîchissante et, à proximité, une île à la végétation luxuriante. De plus, loin du continent, le risque de croiser d'autres navires était assez peu probable. Du coup, le capitaine Kutter et son équipage ne voyaient aucune raison de se presser pour repartir.

Une belle nuit claire s'annonçait et maître Chow vit là une excellente occasion d'observer les étoiles. Suspendu dans les airs sur un siège de corde, le savant chinois donna ses directives à un groupe de marins afin qu'ils installent son imposant télescope sur les hauteurs du mât de misaine. Il s'empressa de rappeler, en plaçant sa main en porte-voix :

— Faites bien attention, messieurs ! C'est très fragile…

— Ho hisse ! Ho hisse !

— Attendez ! Un peu plus vers la droite !

— Ho hisse ! Ho hisse !

— Non, arrêtez ! Ça ne passera pas avec la vergue. Tirez la lunette légèrement vers la gauche !

Les matelots obéirent à nouveau sans protester, même si plusieurs s'interrogeaient sur l'intérêt d'installer cette étrange invention sur le mât. Avec peu d'enthousiasme, ils recommencèrent à hisser le télescope quand un balancement, accentué par la brise, le poussa contre la vergue.

— MAIS C'EST PAS VRAI, VOUS N'ÉCOUTEZ RIEN ! pesta maître Chow en tirant sur sa corde latérale pour remonter son siège et constater les dégâts.

— Tout va bien ? demanda Le Bolloch, qui surveillait la manœuvre depuis le pont.

— Je crois que oui ! La lentille n'a pas été endommagée, souffla le savant aux longues moustaches, avant de baisser la tête pour jeter un œil vers sa cabine. Avec maître Fujisan à mes côtés, il m'aurait été plus facile de vous guider. Mais que fait-il, à la fin ? Il m'avait promis d'être présent pour m'aider. Ce retard n'est guère dans ses habitudes.

Au même moment, le savant japonais sortit de la cabine et s'étira longuement, comme si de rien n'était. Stupéfait, maître Chow l'interpella depuis les hauteurs :

— Vous ne semblez pas encore tout à fait réveillé, cher ami. Voulez-vous que je descende vous préparer du thé, ou bien un rafraîchissement ?

— Un thé, je veux bien, merci, répondit tout naturellement maître Fujisan en levant la tête.

— ET PUIS QUOI ENCORE ?! s'emporta cette fois-ci maître Chow. Vous pensiez vraiment que j'allais descendre, alors qu'on vous attend depuis un bon moment pour installer le télescope ?

Surpris par la remarque, le savant japonais réalisa tout à coup le malentendu.

— Je pensais que l'installation était prévue pour demain…

— Allons bon! Mais comment avez-vous pu croire une telle chose? questionna maître Chow, peu convaincu par cette excuse. C'était pourtant clair, il me semble. Ayez plutôt l'honnêteté d'avouer que vous ne vouliez pas m'aider!

— PARDON! s'emporta à son tour le savant japonais, mais je n'avouerai rien du tout! C'est vous qui êtes dans l'erreur. Vous m'aviez dit demain…

— Justement! rétorqua aussitôt maître Chow. Comme nous en avons discuté hier soir, c'était donc bien pour aujourd'hui.

— Alors là, je vous arrête, cher ami. Notre discussion a eu lieu cette nuit, et il était plus de minuit, ce qui signifie que nous sommes le même jour…

— OH! QUELLE MAUVAISE FOI! Vous osez jouer avec les mots pour ne pas reconnaître vos torts!

Rouge de colère d'être accusé de la sorte, maître Fujisan se saisit prestement d'une corde et se hissa pour régler ses comptes avec son confrère.

Pendant ce temps, sur les hauteurs du grand mât, la Tête de mort de *La Fleur de lys* sortit brusquement de son drapeau, visiblement agacée par tout ce remue-ménage.

« Combien de temps encore vais-je devoir les supporter, ces deux-là ? Ils ont passé presque toute la nuit perchés sur le mât de misaine à discuter de leur maudit télescope. Ils n'ont pas arrêté de parler… les étoiles par-ci, les constellations par-là, et patati et patata… Tout y est passé. À cause d'eux, je n'ai pas réussi à trouver le sommeil. Sans compter les autres loustics de l'équipage qui ont chanté et joué de leur musique infernale jusqu'à l'aube. Ils se prennent peut-être pour des vedettes de la *Star Act*[1] eux aussi, mais à ce que j'ai entendu, il s'agissait plutôt de la *Star Ac'tu me casses les pieds* ! Et le supplice à peine terminé, voilà

---

[1] Concours de chants marins organisé tous les ans dans une taverne de Port-Royal et au cours duquel le vainqueur se voit offrir un an de massage des orteils. Le lavage des pieds est en option, moyennant un petit supplément.

que ces deux savants en rajoutent une couche avec un *Reality Show*[2] d'équilibristes déséquilibrés ! »

À bout de patience, la Tête de mort décida de mettre, une fois pour toutes, un terme à son malheur. D'un geste déterminé, elle tira son sac d'os, attrapa un fémur de rechange et le lança sans hésiter en direction de maître Chow, qui continuait à hurler. Elle ne s'attendait cependant pas à ce que le savant se rapproche au même moment de son confrère. Le gros os passa à quelques centimètres de sa tête avant de toucher l'un des cordages, pour ensuite percuter une vergue du mât. En tombant, le fémur traversa une écoutille restée ouverte et termina sa chute sur le ventre de Séléção, qui dormait paisiblement dans son hamac. Surpris par le coup, le marin d'origine brésilienne se redressa brusquement en laissant échapper le ballon qu'il tenait sur le côté. Celui-ci rebondit

---

[2] Programme du ministère des Transports maritimes britannique visant à inviter un groupe d'enfants à observer la vie d'un équipage durant un mois pour promouvoir le métier de marin.

sur le plancher et arriva devant les pieds de Martigan, qui le ramassa aussitôt en présentant un large sourire de satisfaction.

— Alors, Séléção, tu as perdu ton précieux joujou ?

Les rires fusèrent dans le dortoir.

— Hé ! Rends-le-moi ! Ce sont les savants qui me l'ont confié…

— Certes, l'ami, mais ce ballon ne t'appartient pas pour autant, répliqua le matelot borgne. On a bien le droit de jouer avec si ça nous chante. Pas vrai, les gars ?

— Il a raison, jeta Cenfort, pour appuyer son acolyte devant tous les marins réunis.

— Toi, tais-toi ! protesta Séléção en s'adressant au tonnelier. Tu es un bon à rien ! Tu n'es même pas capable de frapper correctement dans un ballon !

— Quoi ? Vas-y, répète un peu, pour voir !

— Tu m'as très bien entendu, Cenfort. C'est de ta faute si on a arrêté la partie plus tôt, hier. La première fois, tu as envoyé le ballon par-dessus bord, et la seconde, tu as tiré directement dans la cabine des savants au moment même où maître Chow tenait l'un de ses grimoires...

— Et alors, il n'y a pas eu mort d'homme, que je sache !

— Peut-être bien, mais comme tu n'as pas voulu te dénoncer, c'est moi qui ai dû essuyer tous les reproches. Maître Chow était furieux, car son grimoire aurait pu libérer un sortilège en retombant.

Quelque peu gêné, le tonnelier ne sut pas trop quoi répliquer.

— Bon, je te l'accorde. Mais ce n'est pas utile d'en faire toute une histoire...

— Si, justement ! continua Séléção, visiblement très remonté. Car depuis cet incident, il se passe des choses étranges avec ce ballon. Rappelez-vous quand on a voulu rejouer ensuite. Il n'a pas arrêté de rebondir dans tous les sens, comme s'il était...

— Ensorcelé, enchaîna Martigan, en déclenchant de nouveaux éclats de rire.

— C'est ça, moquez-vous, mais vous savez très bien que j'ai raison.

— Moi, je le crois, appuya Porouc.

— Oh, toi, le peureux de service, on ne t'a pas sonné! jeta Martigan. C'est n'importe quoi, votre histoire. Maître Chow a bien dit que le livre ne s'était pas ouvert. Donc, il n'a pas pu libérer de sortilège.

— Dans ce cas, comment expliques-tu le comportement du ballon par la suite? questionna Séléção. J'ai dû le tenir en permanence pour être sûr qu'il ne rebondisse pas tout seul.

— Ce ballon a peut-être pris une mauvaise forme à force de recevoir des coups de pied, d'où ces rebonds inhabituels, mais il n'est pas plus ensorcelé que toi ou moi. Je vais d'ailleurs te le prouver…

— NON, NE FAIS PAS ÇA! hurla Séléção, en se précipitant.

Sous l'assaut du marin brésilien, Martigan tomba lourdement sur le plancher et laissa échapper le ballon, qui roula jusqu'à Cenfort.

Ce dernier le frappa avec son pied pour amuser davantage ses compagnons, riant déjà aux éclats de voir Martigan et Séléção en pleine lutte. Ils perdirent cependant vite leur bonne humeur lorsque le ballon commença à les cogner tour à tour au visage et à l'estomac. Plusieurs tentèrent bien sûr de l'intercepter, mais il leur glissa chaque fois des mains, s'échappant finalement par l'écoutille après avoir percuté une lanterne et une colonne en bois. Rendu sur le pont supérieur, le ballon ensorcelé s'en prit ensuite à tous les marins qui se trouvaient sur sa trajectoire, avant d'atteindre le groupe de marins qui hissait l'imposant télescope.

— RETENEZ-LE, JE VOUS EN PRIE ! cria maître Chow, en tendant les bras par réflexe.

N'en pouvant plus de recevoir des coups, Le Bolloch et ses compagnons lâchèrent inévitablement le télescope, qui descendit à toute vitesse. Alertés, les deux savants se dépêchèrent d'attraper les cordages pour retenir sa chute. Ils n'hésitèrent pas un seul instant à sauter de leur siège pour faire contrepoids. Le Bolloch tenta aussitôt de les aider en les voyant s'élever dans les airs, mais la corde s'enroula autour d'un de ses pieds et le tira à son tour vers le haut, la tête en bas.

Le télescope était sur le point de percuter les deux savants de plein fouet lorsqu'il s'arrêta soudainement sous leur poids et celui de Le Bolloch.

Pendant ce temps, le ballon poursuivit sa trajectoire folle, rebondissant dans tous les sens, pour finalement entrer dans la cabine du capitaine. Des bruits d'objets renversés résonnèrent peu après à l'intérieur puis, tout à coup, plus rien.

Face à cet étrange silence, tous les témoins de l'incident se réunirent devant les quartiers de leur chef respecté. Séléção et les autres matelots étaient également sortis à toute vitesse des dortoirs pour constater les dégâts.

— Que s'est-il passé? demanda Porouc d'un air affolé. Vous pensez que ce ballon aurait pu s'en prendre à notre capitaine?

— Mais non, répondit Martigan, en replaçant son bandeau noir sur son œil sans vie. Ce n'est pas un vulgaire ballon ensorcelé qui pourrait impressionner un vieux loup de mer comme lui.

— Pourquoi ne l'a-t-on pas entendu, alors ? En temps normal, il nous aurait déjà hurlé dessus depuis longtemps.

— C'est parce qu'il ne s'est pas réveillé, voilà tout. Vous savez bien qu'il a le sommeil lourd.

— Tant mieux, se réjouit Cenfort. Profitons-en alors pour aller récupérer le ballon !

— Oui, vas-y ! jeta Séléção.

— Qui, moi ? bafouilla le tonnelier.

— Ben oui, c'est toi qui as frappé dans le ballon !

— D'accord, mais c'est Martigan qui n'a pas voulu te le rendre…

— Eh, là, pas si vite, l'ami ! se défendit le marin borgne, en levant la main vers son acolyte. Que je sache, tu étais d'accord, toi aussi.

Ce n'est pas très correct de me faire porter le chapeau. Tu me déçois beaucoup, Cenfort. Je me serais attendu à plus de solidarité de ta part.

Sur cette remarque, le tonnelier se sentit soudainement mal à l'aise. Voyant tous les regards posés sur lui, il lâcha, tout penaud :

— Accepte mes excuses, Martigan. Je ne comprends pas ce qui m'a pris. Tu sais bien que je suis toujours de ton côté. D'ailleurs, pour te le prouver, c'est moi qui vais aller chercher ce ballon. Peu importe ce qu'il m'en coûtera.

Touché par les paroles de son compagnon, Martigan répondit :

— C'est bon, n'en parlons plus. Tu es pardonné, et pour te le prouver, je vais t'accompagner.

Les deux hommes se serrèrent vigoureusement l'avant-bras, puis ils levèrent leurs mains bien haut pour vanter leur courage et demander l'attention de leurs camarades en prévision de l'exploit qu'ils s'apprêtaient à accomplir.

— OHÉ, EN BAS! s'impatienta Le Bolloch, toujours suspendu dans les airs par un pied. Qu'attendez-vous pour nous faire descendre, sacrebleu?

Sans plus tarder, plusieurs marins se portèrent au secours de leur compagnon, mais aussi des deux savants emmêlés dans leurs cordages, qui continuaient à se disputer en s'attribuant mutuellement la responsabilité de cette mésaventure. Puis, une fois le télescope bien amarré au mât, tous les visages se tournèrent à nouveau vers Martigan et Cenfort, qui demandèrent le silence le plus complet. Ils avancèrent lentement vers la porte entrouverte de la cabine du capitaine.

— Je te parie un shilling[3] qu'ils ne réussiront pas à ramener le ballon sans se faire prendre, lança Mumbai en donnant un léger coup de coude à son ami Yasar.

— Pari tenu, approuva le marin d'origine turque.

---

[3] Au XVIIIe siècle, monnaie couramment utilisée dans plusieurs pays.

Martigan et Cenfort s'étaient à peine approchés qu'ils s'arrêtèrent brusquement en entendant un bruit qui venait de l'intérieur de la cabine. Moins de trois pas plus tard, le ballon apparut au bas de la porte et roula doucement dans leur direction.

Personne n'osa ouvrir la bouche, se demandant ce qui allait bien pouvoir se passer. Le regard horrifié, Porouc s'attendait à ce que le ballon ensorcelé les agresse encore. Il était prêt à déguerpir au plus vite et à sauter à la mer si nécessaire, même s'il ne savait pas nager. Martigan et Cenfort ne lui en laissèrent cependant pas le temps, car ils se jetèrent au même moment sur le ballon.

— Nous l'avons ! assura le marin borgne, allongé de tout son poids sur son ami Cenfort, qui avait agrippé le ballon le premier.

Aussitôt, les applaudissements et les ovations résonnèrent sur le pont, mais tous déchantèrent bien vite en voyant leurs amis soudainement malmenés.

— Venez nous aider ! cria Cenfort. Je ne tiendrai pas longtemps !

Cette fois-ci, plusieurs marins se lancèrent dans la mêlée, tandis que Le Bolloch s'empressait de récupérer un tonneau vide. Rapidement de retour, il vit avec stupeur ses compagnons se faire traîner sur le pont comme un bande de poissons tirés par un filet. Cenfort et Martigan retenaient toujours le ballon, agrippés par des marins de plus en plus nombreux. Après plusieurs minutes de lutte farouche, le groupe d'assaut finit par s'arrêter, ce qui profita enfin à Le Bolloch.

— Ne bougez plus ! avertit-il. On va l'enfermer dans ce baril !

Le maître-voilier d'origine bretonne se présenta rapidement devant le ballon, mais il trébucha sur le pied d'un matelot en train de se relever. Il tomba de tout son poids sur Martigan et laissa échapper le tonneau sur le crâne de Cenfort, qui relâcha sa prise sous le choc.

Enfin libéré, le ballon ensorcelé rebondit sur le pont comme une bête affolée, en percutant au passage la rambarde en bois qui l'envoya sur la première vergue du grand mât et sur les suivantes, jusqu'à ce qu'il ait atteint les hauteurs du pavillon.

Ayant assisté à toute la scène depuis son drapeau, la Tête de mort de *La Fleur de lys* n'hésita pas un seul instant et donna un grand coup de pied au ballon, qui fila droit dans les airs.

« Et hop, bon débarras ! s'écria-t-elle d'un air très satisfait. J'en avais assez de tout ce raffut. Heureusement que je suis là pour mettre un peu d'ordre sur ce bateau, car ces marins sont vraiment des incapables. »

Le ballon ensorcelé vola en direction de l'île comme un oiseau qui venait de retrouver sa liberté.

JEUX D'OS

Sur une plage davantage exposée aux vents, une bande de pirates à l'allure étrange s'adonnait allègrement à la pratique du surf, sans avoir encore remarqué la présence du bateau qui avait accosté tout près, trois jours plus tôt.

Allongés à plat ventre sur leurs planches, deux squelettes ramaient vers le large à l'aide de leurs bras dépourvus de chair sous les regards attentifs de leurs compagnons, debout au bord de l'eau. À l'approche d'une bonne vague, ils se laissèrent entraîner par le courant et zigzaguèrent quelque temps pour trouver les meilleures conditions possibles et réaliser quelques acrobaties. Une fois prêt, le premier squelette se leva sur une jambe en tendant l'autre vers l'arrière. Les bras bien écartés, il cria en direction de son ami, afin de bien se faire entendre au milieu du bruit des flots :

— Alors, c'est pas beau, ça ?

— Mouais, pas trop mal. Mais attends un peu de voir ma figure…

Aussitôt dit, le second squelette s'accroupit et posa ses mains osseuses bien à plat sur sa planche. Il força ensuite sur ses bras et releva tout doucement ses jambes vers le ciel pour se mettre en équilibre, la tête en bas, sous le regard émerveillé de son adversaire.

— Bravo ! s'exclama l'un des squelettes, debout sur la plage. Notre ami Pumpler est vraiment très doué !

— N'influencez pas les autres juges, monsieur Wolff ! reprocha le squelette au tricorne. Contentez-vous de donner vos notes pour chaque figure !

Sur le rappel de leur chef, les dix squelettes du jury choisirent leurs pancartes numérotées et les présentèrent bien haut.

Découvrant au loin les notes généreuses accordées à son ami, le premier surfeur ne se découragea pas et réfléchit aussitôt à sa prochaine figure. Se sentant tout à coup inspiré, il se désarticula entièrement sur sa planche et forma une pyramide d'os, avec son crâne posé sur la pointe.

— Oh, celle-là est vraiment très belle ! s'émerveilla encore le juge bavard depuis la plage.

— Attention, monsieur Wolff ! C'est la seconde fois.

— Je suis navré, capitaine. Je n'ai pas pu m'en empêcher.

— Peu importe, monsieur Wolff. Je vous ai déjà averti. Ne m'obligez pas à vous radier du jury.

— Je ne le ferai plus, c'est promis.

— Fort bien, conclut le capitaine Dryboone avant d'ordonner aux autres juges : Allons, messieurs, vos notes ! Dépêchez-vous !

Les pirates s'apprêtaient à brandir leur pancarte quand l'un d'eux hésita :

— Attendez ! Est-ce qu'il avait le droit de se désarticuler de la sorte ?

— Bien sûr que oui ! rétorqua aussitôt le dénommé Wolff. Le capitaine a bien précisé qu'il s'agissait de figures libres.

En voyant le signe de tête approbateur de leur chef, tous les juges montrèrent finalement leur note, impatients de découvrir les figures suivantes.

Touché dans son orgueil, le second surfeur modifia la trajectoire de sa planche et se rapprocha prestement de son adversaire au risque de le percuter. Avec une grande habileté, il se plaça juste à côté et lui subtilisa son crâne posé sur la pyramide d'os. En même temps qu'il se plaçait en position assise sur un siège imaginaire, il porta sa main droite fermée sous son menton, dans une attitude méditative, et fixa du regard le crâne de son compagnon.

— Hé ! Mais qu'est-ce qui te prend ? protesta le crâne. Dépêche-toi de me reposer sur mon squelette !

— Ça ne sera pas long, l'ami. Je te remettrai à ta place dès que les juges m'auront noté.

Pendant ce temps, sur la plage, l'un des pirates ne put s'empêcher de commenter la figure :

— Vous avez vu ? Il ne manque pas d'audace, ce Pumpler. Je ne cherche pas à influencer les autres juges, capitaine, mais il faut reconnaître que cette représentation du *Penseur* de Rodin, c'est du grand art.

— Qu'est-ce que tu racontes, Wolff ? rétorqua aussitôt le squelette du nom de Brains. Ce n'est pas *Le Penseur* de Rodin, mais plutôt le personnage d'Hamlet imaginé par William Shakespeare…

— Mais oui, tu as raison. Je les confonds toujours. C'est bien Hamlet, celui qui a dit : « Paître ou ne pas paître… » ?

— Mais pas du tout, tête de poulpe ! Hamlet a plutôt dit « Être ou ne pas être ».

— Est-ce que vous avez fini, tous les deux ? Voilà la véritable question ! Alors quelle note attribuez-vous à Pumpler ? On ne va pas y passer la journée, tout de même ! s'impatienta le capitaine Dryboone.

Touchés par ce reproche, les juges se concentrèrent à nouveau pour donner une note à la dernière figure, tandis qu'un étrange objet volant atterrissait à quelques mètres derrière eux en rebondissant au milieu des palmiers.

Pendant ce temps, les deux surfeurs reprirent chacun leur trajectoire afin d'enchaîner avec la figure suivante. Ayant enfin récupéré son crâne, le dénommé Atlon modela rapidement son squelette pour représenter cette fois-ci une forme humaine avec une couronne d'os sur la tête, une tablette dans la main gauche et une torche dans la main droite, qu'il leva bien haut.

L'étonnement s'empara aussitôt de tous les juges rassemblés sur la plage.

— Mais qu'est-ce qu'il nous fait, là ? s'interrogea l'un d'eux.

— On dirait une statue, répondit Brains.

— Mouais, je ne la trouve pas terrible, cette figure.

— Moi, si, confia Wolff. C'est très inspiré, au contraire. La couronne décrit parfaitement notre règne sur les océans. Quant à la tablette, elle pourrait tout à fait symboliser nos lois, et je verrais bien la torche mettre en relief cette lumière qui rayonne au sein de notre groupe…

— Alors là, monsieur Wolff, c'est vraiment très profond ce que vous venez de dire ! s'émut pour une fois le chef pirate.

— Merci, capitaine. Je dirais même que cette figure de notre ami Atlon est à l'image de notre liberté. Je propose donc de l'appeler « La Statue de la Liberté ».

À ces paroles, les autres juges applaudirent avant de se jeter sur leurs pancartes pour donner une généreuse note au surfeur méritant, tandis que, non loin de là, le ballon ensorcelé s'agitait dans tous les sens en se cognant contre les palmiers. Prenant de plus en plus de vitesse, il se propulsa brusquement vers la plage et passa au-dessus du groupe de squelettes.

Décidé à faire mieux que son ami, le second surfeur ne perdit pas de temps et se positionna sur sa planche. Il se désarticula en deux ou trois mouvements et construisit rapidement une tour de style roman parfaitement droite.

— Oh, regardez cette figure ! Elle est très belle également ! s'émerveilla encore le dénommé Wolff. Elle me fait penser à la tour de Pise, pas vous ?

— Désolé, mon ami, rétorqua le capitaine Dryboone, mais la tour de monsieur Pumpler est bien trop droite pour être comparée à celle de Pise. Je le sais fort bien, car j'ai déjà eu l'occasion de la voir lors d'un séjour en Toscane.

Le chef pirate avait à peine émis son commentaire que le ballon ensorcelé tomba à toute vitesse sur les deux surfeurs. Pumpler eut juste le temps de pencher sa tour d'os sur le côté pour éviter le mystérieux projectile qui frappa la surface de l'eau un peu plus loin.

— Ah! Là, cette figure ressemble davantage à la tour de Pise! fit alors remarquer le capitaine Dryboone, visiblement satisfait.

— Vous avez vu cette chose qui a failli frapper de plein fouet notre ami? coupa cependant l'un des juges. Qu'est-ce que c'était?

— On aurait dit un boulet de canon.

— Ce n'est pas possible, monsieur Wolff! reprit aussitôt le capitaine. Nous aurions dû entendre une détonation, dans ce cas.

— C'était une noix de coco, alors.

— Peut-être, mais je voudrais bien connaître le nom du scélérat qui a osé tirer sur nos compagnons!

Le chef pirate se retournait pour déterminer l'origine du tir, lorsque l'un de ses matelots s'écria, en levant son doigt vers le large:

— Eh, regardez! La noix de coco a fait demi-tour pour s'en prendre à nouveau à nos amis.

Revenant effectivement à l'assaut, le ballon ensorcelé frappa de plein fouet le dénommé

Pumpler qui venait tout juste de reformer son squelette. Ses os volèrent en éclats sous la force de l'impact. Alerté, l'autre surfeur s'écarta prestement avec sa planche et zigzagua sur l'eau afin d'échapper au mystérieux projectile venu de nulle part. Il profita d'une belle vague pour s'infiltrer dans son creux. C'était cependant mal connaître la détermination du ballon ensorcelé, qui le suivit comme un prédateur chasse sa proie. Le squelette sortait tout juste du couloir d'eau, lorsqu'il fut brusquement percuté par l'arrière. Il vola à son tour en éclats sous le regard effrayé de ses compagnons, qui avaient observé la poursuite depuis la plage sans pouvoir intervenir.

— ON NOUS ATTAQUE ! s'écria le matelot Wolff.

— Ce crime ne restera pas impuni ! jura le capitaine Dryboone. Suivez-moi, messieurs !

À cet ordre, les squelettes pirates abandonnèrent leurs pancartes et suivirent leur chef qui se jeta le premier à l'eau. Ils nagèrent très vite et rejoignirent bientôt leurs deux compagnons d'infortune qui tentaient tant bien que mal de rassembler leurs os pour reformer leurs squelettes.

— Quelle horreur ! Il me manque un bras ! s'exclama le dénommé Pumpler.

— Tout va bien, je l'ai ! assura le capitaine en agitant devant lui le membre perdu qu'il venait de récupérer en le voyant couler.

— C'est terrible ! s'alarma l'autre surfeur en replaçant sa jambe. Comment va-t-on pouvoir déterminer le gagnant du concours, maintenant ? J'étais sûr de l'emporter cette fois-ci. C'est du sabotage, ni plus ni moins.

— Hé ! Pas si vite, l'ami ! rétorqua son adversaire. Qu'est-ce qui te dit que tu allais vraiment l'emporter ?

— Écoutez, messieurs, ce n'est pas le moment de vous quereller ! coupa aussitôt le capitaine. Cherchons plutôt à mettre la main sur ces bandits qui ont osé troubler notre quiétude.

— Je crois les avoir trouvés ! s'écria tout à coup l'un des pirates en montrant du doigt un bateau ancré non loin de là, à l'est.

— À la bonne heure ! se réjouit le chef pirate. Il est temps de régler nos comptes avec ces écrevisses de remparts.

À ces paroles, les treize squelettes se lancèrent en direction de la frégate qui affichait un pavillon noir.

L'ENLÈVEMENT

À bord de *La Fleur de lys*, le calme était enfin revenu, même si la plupart des marins se demandaient encore comment le ballon conçu par les deux savants avait pu être ensorcelé.

Ravie d'avoir mis un terme à l'effroi de l'équipage, la Tête de mort aspira une grande bouffée d'air frais qui ressortit aussitôt de sa cage thoracique dépourvue de chair.

« Maintenant que j'ai rétabli l'ordre sur ce navire, je vais pouvoir regagner ma couchette et profiter enfin d'un repos bien mérité. Et si une seule personne s'avise de me déranger encore une fois, gare à elle ! »

Après cet avertissement crié haut et fort, la Tête de mort jeta un bref regard vers l'horizon, avant de tourner les talons, mais un étrange

41

mouvement au loin attira soudainement son attention. D'un geste vif, elle attrapa sa longue-vue, taillée dans un os de fémur, et la pointa droit devant elle.

« Oh, non ! Ça ne va pas recommencer. Pas eux ! » s'écria-t-elle en reconnaissant aussitôt les treize squelettes qui les avaient entraînés quelques mois plus tôt dans la mer des Enfers. « Mais qu'est-ce qu'ils nous veulent encore, ces maudits revenants ? Je croyais ne plus jamais les revoir. »

Sentant la présence d'un danger imminent, l'intrépide Tête de mort ne perdit pas de temps à se morfondre. Voyant que le matelot de vigie était confortablement assis sur sa plateforme d'observation, elle attacha rapidement deux cordelettes à sa longue-vue et la descendit doucement au niveau du marin.

Broton n'avait pas encore remarqué le groupe de nageurs qui approchait, lorsque le gros os arriva juste devant ses yeux. Surpris, il s'apprêtait à lever la tête pour identifier l'auteur de cette blague, quand il remarqua à son tour un mouvement dans l'eau. Profitant de la longue-vue providentielle, il scruta la surface de l'eau et reconnut très vite les squelettes. L'instant d'après, il se redressa prestement en criant :

— SQUELETTES PAR TRIBORD ARRIÈRE ! SQUELETTES PAR TRIBORD ARRIÈRE !

Tournant aussitôt la tête, tous les membres d'équipage s'exclamèrent devant le spectacle qui s'offrait à leurs yeux. Sans attendre Bristol, le capitaine Kutter sortit de sa cabine en faisant tourner lui-même les roues de sa chaise roulante.

— Tous les hommes de quart au poste de combat ! ordonna-t-il immédiatement. Monsieur van Basteen, je veux une double charge sur toute la batterie située à tribord !

— À vos ordres, capitaine ! répondit le maître-canonnier d'origine hollandaise.

— Ces maudits squelettes ne nous échapperont pas, cette fois-ci. Nous allons leur réserver un accueil à la hauteur de leur fourberie, vous pouvez me croire.

Pendant que les marins se préparaient au combat, Émilio Corsarez s'approcha du capitaine pour lui demander :

— Dois-je avertir le quartier-maître Flibus, capitaine ?

— Où est-il ?

— Il est descendu dans les cales pour inspecter le chargement des provisions que nous avons ramenées de l'île.

Le capitaine de *La Fleur de lys* réfléchit brièvement.

— Écoutez, il est inutile de le déranger pour si peu. Nous allons vite régler le sort de ces bandits d'outre-tombe. Il y a trop longtemps que j'attends ce moment.

Sur ces paroles, le capitaine demanda à son fidèle Bristol, qui venait de le rejoindre, de le pousser jusqu'à la rambarde afin de diriger le combat. Corsarez les suivit pour assister de plus près à la manœuvre.

Non loin de là, les treize squelettes nageaient à vive allure quand ils notèrent de l'agitation sur le bateau qu'ils s'apprêtaient à aborder. Se doutant bien que leurs adversaires chercheraient à les arrêter, le chef pirate ordonna alors à ses hommes de se disperser afin de limiter les risques d'être touchés. Mais le déploiement avait à peine commencé que des tirs de canons retentissaient déjà depuis la frégate. Plusieurs boulets fusèrent dans leur direction et frappèrent la surface de l'eau à quelques mètres devant eux. Cette attaque ne les découragea pas pour autant de continuer à avancer. À tort cependant, car la seconde bordée ne tarda pas et toucha cette fois-ci deux squelettes qui volèrent en éclats sans avoir eu le temps de réaliser ce qui leur arrivait.

Des cris de joie s'élevèrent depuis le bateau, tandis que le capitaine Kutter prépara sur-le-champ un troisième tir. Les boulets qui jaillirent peu après frappèrent à nouveau trois squelettes de plein fouet. De toute évidence, la réussite semblait être du côté des marins de *La Fleur de lys*. Le capitaine Dryboone le réalisa bien vite. Face à la menace d'une nouvelle bordée, il ordonna la retraite, avant que tous ses hommes ne finissent par y passer.

— Regardez, ils déguerpissent comme un banc de sardines affolées ! s'écria Mumbai, qui fut le premier à clamer victoire.

— Hip ! Hip ! Hip !

— HOURRA ! lancèrent d'une même voix tous les marins réunis sur le pont.

— Pas si vite, messieurs ! les interrompit cependant le capitaine Kutter, tout en pointant sa longue-vue en direction du groupe de squelettes, qui disparut brusquement sous la surface de l'eau.

Un long silence s'installa sur *La Fleur de lys*.

— Mais où sont-ils passés ? s'inquiéta finalement Porouc, les mains posées sur la rambarde.

— Je les ai vus plonger, répondit le capitaine avant de lever la tête vers la vigie. Vous les voyez, monsieur Broton ?

— NON ! confirma le matelot depuis sa plateforme d'observation.

— Que tous les hommes restent à leur poste ! ordonna le capitaine, méfiant. Ces maudits squelettes ne sont pas de ceux qui abandonnent facilement.

À ces paroles, tous les marins de quart scrutèrent la surface de l'eau. Plusieurs grimpèrent même sur les échelles de corde afin d'avoir un champ de vision plus large.

• • •

Les minutes, puis les heures s'écoulèrent sans que personne remarque le moindre mouvement suspect autour du bateau. Le capitaine Kutter et ses hommes n'en perdirent pas pour autant leur vigilance, à plus forte raison lorsque la nuit tomba.

Venant prendre la relève avec un autre groupe de marins, Flibus se présenta sur la passerelle de commandement éclairée par une lanterne. Il avait cependant à peine gravi la première marche que des cris retentirent sous le pont du bateau.

— Ça vient de l'enclos à animaux! s'écria le jeune quartier-maître en rebroussant aussitôt chemin, suivi de près par Corsarez.

Le temps de courir et de descendre dans la cale en passant par une écoutille, Flibus et son ami surprirent un squelette qui jetait un sac par l'ouverture d'un sabord, sous les hurlements des poules hystériques et des autres animaux témoins de la scène. Antonin, le gardien de l'enclos, était allongé sur le plancher, inconscient. Les deux marins se précipitèrent, mais le malfrat sauta dans l'eau juste avant d'être intercepté.

— Que s'est-il passé? demanda Flibus, en se tournant vers le groupe d'animaux.

— C'est terrible! répondit Margarete, la vache laitière. Il a enlevé Castorpille.

— On n'a pas eu le temps de réagir, enchaîna Sésame, la chèvre. Il nous a pris par surprise.

— Il a assommé notre gardien avec l'un de ses os, qu'il avait arraché pour s'en servir comme d'une vulgaire massue, ajouta le cochon Topaze, tout en replaçant ses petites lunettes sur son groin. C'était horrible !

Au même moment, des coups de feu résonnèrent sur le pont. Alerté, Flibus se dépêcha de remonter, en laissant Corsarez s'occuper du gardien qui revenait tout doucement à lui.

— NE TIREZ PAS ! Ils ont enlevé Castorpille, avertit Flibus en jaillissant de l'écoutille.

— QUEL MALHEUR ! s'alarma aussitôt le superstitieux Porouc. Qu'allons-nous devenir sans notre mascotte ?

Tous les marins se rassemblèrent à bâbord pour tenter de déterminer la position des kidnappeurs. Plusieurs se munirent de lanternes, mais très vite ils perdirent de vue les squelettes qui avaient profité de la nuit tombée pour commettre leur méfait.

— SQUELETTES EN VUE ! cria tout à coup Broton, du haut de sa plateforme d'observation. ILS SE DIRIGENT VERS LE NORD !

— Par ma barbe rousse ! Ces maudits revenants ne croient tout de même pas que je vais les laisser partir sans réagir ! pesta le capitaine Kutter avant de donner ses ordres à l'équipage. Levez l'ancre et hissez les voiles !

Les ordres furent aussitôt répétés d'un bout à l'autre du navire afin que chaque marin puisse les entendre et se rendre prestement à son poste. La manœuvre pour lancer le départ du navire ne prit guère de temps, même si elle profita aux squelettes qui avaient une bonne longueur d'avance.

Toutes voiles dehors, *La Fleur de lys* vogua vers le nord, poussée par une généreuse brise. Mais à bord, plusieurs marins s'inquiétaient de ne pas pouvoir retrouver un groupe de squelettes nageant dans l'obscurité, en pleine nuit. Tous les moyens furent pourtant mis en œuvre. À l'exception des malades, le capitaine Kutter sollicita l'intervention de chaque marin, y compris ceux qui n'étaient pas de quart. Même les animaux se portèrent volontaires, bien décidés à mettre à profit leur bonne vision nocturne et leur ouïe développée pour repérer leur amie castor disparue. Les deux savants, eux, utilisèrent des lanternes avec une surface incurvée réfléchissante afin de projeter un rayon de lumière plus précis dans la direction choisie.

Les recherches se déroulèrent ainsi toute la nuit, mais sans le moindre résultat, de sorte que l'équipage commença à craindre le pire. Au petit matin, la plupart baissèrent même les bras, épuisés et découragés. D'un bout à l'autre du navire, de nombreux marins murmurèrent entre eux sous l'influence du superstitieux Porouc, qui interprétait d'un très mauvais œil la disparition de leur précieuse mascotte. Tous craignaient maintenant de voir le malheur s'abattre sur l'équipage tel un requin attiré par le sang d'une proie blessée. La perte de Castorpille était tout aussi dramatique que si l'un des leurs était tombé au combat. Elle était même plus forte et plus douloureuse, car elle fragilisait leur unité. La mascotte qu'ils avaient désignée à l'unanimité n'était plus là pour leur porter chance.

— Je l'aimais bien, Castorpille. Elle va me manquer, confia l'un d'eux.

— Moi aussi, enchaîna un autre matelot. Elle avait du caractère, à l'image des marins que nous sommes.

— Oui, c'est bien vrai, ce que tu dis. Moi, ce qui va me manquer le plus, c'est de ne plus l'entendre râler contre nous ! Combien de fois nous a-t-elle répété de faire attention où l'on mettait les pieds quand elle était dans les parages ?

— C'est vrai qu'il m'est souvent arrivé de lui marcher sur la queue…

— Pareil pour moi, se rappela un autre. Et elle me le faisait payer, ça vous pouvez me croire. Je ne compte plus ses morsures sur mes mollets. Ah ça, on peut dire qu'elles étaient bien affûtées, ses incisives !

Tous ces témoignages de sympathie émurent l'ensemble de l'équipage et des animaux qui côtoyaient régulièrement Castorpille. Ratasha, la plus touchée, en éprouva une très grande tristesse. La jeune rate avait du mal à réaliser que sa meilleure amie n'était plus là. Mais elle s'en voulait surtout de ne pas avoir été à ses côtés pour l'aider à se libérer de ce squelette. Elle se doutait bien que son amie avait dû se débattre avec rage pour lui échapper, mais à deux, elles auraient certainement pu réussir. Ratasha ne pouvait se résigner à abandonner Castorpille à son sort. Écoutant attentivement les conversations de ceux qui la considéraient déjà comme morte, elle refusa de perdre espoir. Restée silencieuse jusque-là, elle grimpa sur un tonneau pour mieux se faire entendre :

— Comment pouvez-vous penser un seul instant qu'on ne reverra plus Castorpille ? Vous abandonnez bien vite, je trouve. Il s'agit quand même de la mascotte de notre navire !

— Eh là, la rate, fais bien attention à tes paroles ! rétorqua un marin. Nous prendrais-tu pour des lâches ?

— Je n'ai pas dit ça, se défendit aussitôt Ratasha, mais je m'attendais à davantage de persévérance de votre part. Tant que nous n'avons pas la preuve que Castorpille est morte, il y a toujours un espoir de la revoir en vie. Puisque vous admettez tous qu'elle ne se laisse pas malmener sans réagir, vous pouvez donc supposer qu'elle fera son possible pour échapper à ces maudits squelettes. Elle a de remarquables atouts avec ses griffes et ses incisives acérées, sans compter qu'elle est une excellente nageuse. Voilà pourquoi je refuse de penser un seul instant que Castorpille puisse être déjà morte !

— Ratasha a raison ! intervint soudainement Porouc en créant l'étonnement de l'équipage. On n'a pas le droit d'abandonner notre mascotte. S'il existe une chance, aussi infime soit-elle, de la retrouver vivante, nous devons la saisir. Allons, levons-nous et continuons les recherches, quand bien même il nous faudrait traverser tous les océans !

Personne à bord n'en crut ses oreilles, puis un premier marin se leva et grimpa sur une échelle de corde pour scruter à nouveau la surface de l'eau. Un second le suivit peu après, puis un autre, jusqu'à ce que tous leur emboîtent le pas sous les regards fiers du capitaine et de Flibus, ainsi que de Ratasha, ravie d'avoir redonné de l'espoir à ses amis.

Depuis son pavillon, la Tête de mort de *La Fleur de lys* n'avait rien manqué de la discussion. Surprise par le comportement solidaire de l'équipage, elle s'exclama :

« Ces marins m'étonneront toujours. Moi, il y a bien longtemps que je l'aurais abandonnée, cette Castorpille. Quelle idée ont-ils eue de choisir un castor comme mascotte ! C'est n'importe quoi ! Castorpille n'a rien d'un porte-bonheur, car jusque-là, il ne nous est plutôt arrivé que des catastrophes. Si seulement elle s'était vraiment montrée utile à bord, je la soutiendrais, même légèrement, mais honnêtement, c'était loin d'être le cas. Elle ne faisait rien de la journée en dehors de passer son temps à se promener sur le pont ou à discuter avec ses amis animaux. Et ne parlons pas de ses nombreuses siestes quotidiennes ! Ah, on peut dire qu'elle menait la belle vie sur ce bateau, alors que moi, je me tue au travail, sans vouloir faire de jeu de mots. Et quand je trouve enfin le temps de me reposer un peu, il faut que je supporte encore le vacarme incessant de ces marins. Somme toute, c'est plutôt moi qu'ils auraient dû choisir comme mascotte ! J'ai bien plus de mérite que Castorpille. Ce n'est vraiment pas juste ! »

Visiblement remontée, la Tête de mort brandit son poing osseux vers l'horizon, tout en s'écriant :

« BON DÉBARRAS ! AU PLAISIR DE NE PLUS TE REVOIR, MASCOTTE DE PACOTILLE... »

La jalouse Tête de mort avait à peine exprimé le fond de sa pensée qu'elle remarqua du mouvement au loin. Alertée, elle pointa à nouveau sa longue-vue en direction de la surface de l'eau et identifia bientôt le groupe de kidnappeurs.

« Oh, non ! Ce n'est pas possible ! On a fini par rattraper ces stupides squelettes. Castorpille doit être toujours en vie, car je distingue du mouvement dans le sac que l'un d'eux porte par-dessus son épaule. C'est vraiment une dure à cuire, celle-là ! On peut dire qu'elle tient à la vie. Ça, je ne peux pas le lui reprocher. »

Notant que le matelot à la vigie n'avait pas encore aperçu les squelettes, la Tête de mort hésita à l'avertir. La décision était loin d'être facile. Elle pouvait lui faire signe, comme d'habitude, ou bien choisir de l'assommer pour qu'il ne donne pas l'alerte. Elle souffla soudainement :

« Et puis, zut ! SQUELETTES EN VUE ! PAR TRIBORD AVANT ! » hurla-t-elle tout à coup, avant de disparaître du drapeau en murmurant : « Ma grande bonté finira par me perdre. Mais là, je n'ai pas envie d'assister au retour triomphant de Castorpille! Je préfère rentrer me coucher. Je suis épuisée. »

L'équipage de *La Fleur de lys* ne se soucia même pas de savoir si l'alerte avait été donnée par la vigie. Sous les ordres de leur capitaine, tous les marins manœuvrèrent le navire pour se rapprocher du groupe de squelettes.

LE MYSTÉRIEUX
NUAGE BLANC

Des cris de rage s'élevèrent sur le bateau, de la poupe à la proue, à l'encontre de ceux qui avaient osé s'emparer de leur mascotte. Profitant de la lumière du jour qui se levait, personne à bord ne quittait des yeux les squelettes qui nageaient depuis des heures sans éprouver la moindre fatigue, à en voir leur rythme de progression. Bientôt, la distance entre la frégate et le groupe de squelettes se réduisit à moins d'une encablure. Les filets de pêche étaient déjà prêts à être lancés pour se saisir des malfrats sans risquer de blesser Castorpille, dont les cris s'entendaient depuis l'intérieur du sac où elle était retenue prisonnière. Ses amis marins et animaux étaient soulagés de la savoir vivante, même s'ils ne se sentiraient vraiment rassurés qu'à son retour sur le bateau, une fois qu'elle serait bien en sécurité avec eux.

Observant la progression des squelettes depuis le gaillard d'avant, Flibus se questionnait néanmoins sur les réelles intentions des squelettes :

— Mais où vont-ils exactement ? murmura-t-il en se tournant vers Corsarez.

— Ils ont peut-être un repaire plus au nord.

— C'est possible, mais ils auraient eu plus de facilité à se cacher sur l'île près de laquelle nous avions accosté. En mer, et à la nage, ils prenaient un plus gros risque d'être poursuivis et découverts.

— Ils pensaient sans doute profiter de l'obscurité de la nuit pour nous échapper. Ils ont d'ailleurs failli y parvenir, je te rappelle…

— Certes, Émilio, mais ils pouvaient tout aussi bien profiter de cette obscurité sur l'île. On aurait eu plus de mal à les retrouver au milieu de sa végétation dense et de son relief montagneux.

Ce ne sont pas les grottes qui doivent manquer là-bas, alors qu'en mer ils sont bien plus exposés, sans compter que nous avons l'avantage de la vitesse du navire.

— Tu dis vrai, reconnut finalement Corsarez. Mais connaissant la détermination de ces squelettes et de leur capitaine, je suis sûr qu'ils avaient une bonne raison de prendre la mer. S'ils ne nagent pas vers leur repaire, je me demande bien où ils comptent se rendre...

— Surtout en emmenant Castorpille avec eux ! enchaîna Flibus, intrigué. S'ils avaient vraiment voulu se débarrasser de notre mascotte, ils l'auraient déjà fait, à mon avis. Car en la gardant en vie, ils prenaient le risque qu'elle les ralentisse...

— Tu penses que ces maudits squelettes nous ont volontairement attirés quelque part pour nous tendre un piège ?

— Ils nous ont déjà trompés une fois, donc c'est tout à fait plausible, fit remarquer le quartier-maître.

À la suite de cet échange, Flibus et son ami quittèrent le gaillard d'avant pour partager leur raisonnement avec le capitaine resté sur la passerelle de commandement. Ils ne l'avaient pas encore rejoint que le matelot de vigie annonça depuis son poste d'observation :

— NUAGE BAS EN VUE ! DROIT DEVANT !

Le capitaine pointa aussitôt sa longue-vue devant lui, sans prêter attention à l'arrivée de Flibus et de Corsarez.

— Mais d'où sort ce nuage ? s'interrogea-t-il à voix haute, avant de baisser son instrument et de relever la tête. Le ciel ne montre pourtant aucun signe de brume.

Pendant ce temps, les treize squelettes maintenaient leur cap sans paraître se soucier de leurs poursuivants. Seul leur chef tourna la tête un bref instant, avant de tendre son bras dépourvu de chair vers l'avant, pour encourager ses hommes à accélérer le rythme dans la même direction. De toute évidence, ils savaient très bien où ils allaient, ce qui tendait à confirmer les soupçons du jeune quartier-maître de *La Fleur de lys*.

— Nous devrions nous méfier, capitaine! conseilla Flibus. Ces squelettes ont l'esprit fourbe.

— Je vous l'accorde, mais ce sont plutôt eux qui devraient se méfier de nous. Ils ne nous échapperont pas cette fois-ci, je vous le garantis!

— NUAGE BAS EN APPROCHE! À UNE ENCLABURE! avertit le matelot Broton, du haut de sa plateforme d'observation.

Malgré la bonne vitesse du navire, les squelettes reprirent une légère avance et disparurent bientôt à l'intérieur du mystérieux nuage d'une blancheur étonnante. Il dissimulait la surface de l'eau sur près d'un kilomètre de large et s'élevait sur une centaine de mètres en hauteur. À bord de *La Fleur de lys*, plusieurs marins commençaient déjà à voir d'un mauvais œil la présence de cet étrange phénomène atmosphérique.

— Dois-je garder le cap ? demanda le timonier grec, qui n'était pas vraiment rassuré.

— Affirmatif, monsieur Tétrapoulos ! Ce n'est pas un petit nuage de rien du tout qui va nous empêcher de mettre la main sur ces vermines...

— Sauf votre respect, capitaine, intervint Flibus, il serait peut-être plus prudent de le contourner pour les attendre à la sortie de ce nuage...

— Sans doute, mais rien ne garantit qu'ils ressortiront là où nous les attendrons. Je ne tiens pas à les voir disparaître encore alors que nous sommes si près de les attraper.

— Je partage aussi cet avis, capitaine, mais si ce nuage bas était une embuscade ? En traversant le brouillard, il nous sera plus difficile de voir le piège qu'ils nous ont tendu.

Devant la pertinence de cette remarque, le capitaine réfléchit brièvement, avant de se rétracter :

— Dans ce cas, pour être sûrs que ces squelettes ne nous échapperont pas, nous allons mettre les chaloupes à l'eau. En plaçant des groupes d'hommes aux quatre points cardinaux de ce nuage, nous allons nous assurer qu'ils ne fuiront pas en prenant une autre sortie.

— C'est une excellente idée, capitaine ! se réjouit Flibus tout en jetant un regard vers son ami Corsarez, qui lui répondit par un sourire de satisfaction.

Une fois l'entente conclue, le capitaine de *La Fleur de lys* ordonna aussitôt de mettre le navire à l'arrêt, mais un étrange phénomène interrompit brusquement la manœuvre. Malgré l'intervention du timonier, une mystérieuse force d'attraction empêcha tout changement de cap du navire. Le marin grec très expérimenté avait beau tourner sa barre pour guider le gouvernail, rien n'y faisait. Il n'en fallut pas plus pour que la panique s'empare de l'équipage. Cette fois-ci, tous étaient persuadés d'être tombés dans un piège.

Le bateau entra bientôt dans le nuage bas. Très vite, des cris de détresse retentirent sur le bateau, de la poupe à la proue. La plupart des marins abandonnèrent même leur poste en voyant le brouillard progresser rapidement vers eux. Dans la hâte, plusieurs se bousculèrent et tombèrent avant de s'agripper à n'importe quoi, par peur de passer par-dessus bord ou pire encore, d'être emportés par une effroyable bête des brumes. Puis, une fois le navire immobilisé, tout le monde se tut, attendant de voir ce qui allait se produire.

Ayant regagné leur cabine juste avant d'être pris dans le brouillard, les deux savants se dirigèrent tant bien que mal dans la petite pièce, à l'aveuglette, afin de récupérer leurs grimoires.

— AÏE ! hurla soudain maître Chow, en recevant un violent coup au visage.

— Oh, c'était vous ! s'excusa aussitôt son confrère japonais. J'ai simplement tendu les bras autour de moi pour me repérer, mais je ne pensais pas que vous étiez si proche…

— C'était pourtant évident, vous auriez dû le deviner ! On est entrés dans la cabine en même temps.

— Je suis vraiment navré, cher ami. Avec ce brouillard si dense, je ne vous avais pas vu…

— Je suis navré, je suis navré, c'est toujours la même chose avec vous ! s'énerva maître Chow. Vous auriez dû m'avertir avant de tendre vos bras. Comme d'habitude, vous ne faites jamais attention à ceux qui vous entourent.

— Là, vous exagérez !

— Point du tout, répliqua le savant chinois avant de recevoir un nouveau coup à la tête. AÏE ! Qu'est-ce qui m'a frappé de nouveau ? Ne me dites pas que c'est encore vous !

— Si, si, c'est bien moi.

— Mais qu'est-ce qui vous a pris, voyons ! demanda maître Chow en trouvant enfin un appui sur le rebord de la table d'expériences. Auriez-vous perdu la raison ?

— Absolument pas. Mon geste était totalement volontaire.

— Plaît-il ?

— Ça vous apprendra, répondit fermement le savant japonais. J'en ai plus qu'assez de vos sempiternels reproches. Vous m'accusez de ne pas faire attention à mon entourage, mais vous agissez de manière bien pire en vous emportant constamment contre tous ceux qui vivent sur ce bateau. Vous n'êtes pas le nombril du monde, mon ami ! Tout ne se résume pas à votre petite personne. Vous devriez apprendre à être plus tolérant envers autrui, et surtout envers moi, qui vous côtoie en permanence. Votre comportement à mon égard est très souvent désobligeant, voire blessant.

— Oh, vous y allez un peu fort, tout de même !

— NON ! Laissez-moi finir ! s'énerva maître Fujisan, en trouvant à son tour appui sur la table d'expériences. D'ailleurs, si vous persistez à être aussi agressif, je me verrai contraint d'emménager dans une autre cabine pour ne plus avoir à vous supporter. Me suis-je bien fait comprendre ?

Le silence s'installa brusquement dans le laboratoire envahi par la brume.

— Je ne sais pas trop quoi vous dire, cher ami, répondit finalement maître Chow d'un ton plus doux, si ce n'est de bien vouloir accepter mes excuses. Je ne savais pas que vous étiez aussi affecté par nos querelles quotidiennes. J'admets que j'ai parfois tendance à légèrement m'emporter…

— Parfois, parfois… Très souvent, vous voulez dire ! précisa avec force maître Fujisan.

— Oui, bon, si vous le dites. Mais vous auriez dû m'en parler plus tôt, souligna le savant chinois en tâtant les contours de la table pour avancer.

— Je sais, je sais, mais je pensais que vous finiriez par vous en rendre compte sans que je sois obligé de vous avouer mon agacement.

— Je vois, murmura le savant chinois. Écoutez, j'en prends bien note et je peux vous assurer que je ferai plus attention à l'avenir...

Soudain, un bruit sec se fit entendre dans la cabine.

— AÏE ! OUILLE ! AÏE, AÏE !

— QU'Y A-T-IL, MAÎTRE CHOW ? s'inquiéta le savant japonais.

— COMME SI VOUS NE LE SAVIEZ PAS ! C'est encore vous qui m'avez agressé !

— Mais non, ce n'est pas moi, cette fois-ci.

— Pourtant, il y a bien quelque chose qui m'a frappé les orteils, insista maître Chow en relevant son pied pour tenter d'identifier l'origine de sa douleur. PAR LA GRANDE MURAILLE, MAIS C'EST UN PIÈGE À SOURIS !

— Oh, mais oui ! se rappela tout à coup maître Fujisan. C'est le piège que j'ai placé hier pour décourager nos amis rongeurs de montrer à nouveau leur museau dans notre cabine.

— MAIS VOUS ÊTES UN TORTIONNAIRE ! UN ASSASSIN D'ANIMAUX ! accusa le savant chinois en retirant prestement le piège de son pied.

— POINT DU TOUT ! se défendit aussitôt maître Fujisan. Je n'avais pas le moins du monde l'intention de faire du mal à ces bêtes. J'avais d'ailleurs coincé un petit mot sous la tapette pour leur rappeler qu'il pouvait être extrêmement dangereux d'entrer dans notre cabine et de toucher à nos produits. Souvenez-vous, avant-hier, lorsque Castorpille et Ratasha ont renversé la bougie près du baril de poudre que vous aviez apporté pour notre expérience. Les conséquences de leur imprudence auraient pu être catastrophiques. Je voulais simplement effrayer nos amis les rongeurs avec ce petit piège, rien de plus, et sans chercher à les blesser, vous pouvez me croire.

— Dans ce cas, pourquoi la tapette était-elle enclenchée ? demanda maître Chow en posant délicatement la trappe sur la table.

— Je ne sais pas. C'est pour moi un grand mystère.

— Bon, peu importe. N'en parlons plus ! souffla finalement le savant chinois en massant ses orteils encore douloureux. Cherchons plutôt à atteindre le compartiment où sont enfermés les grimoires. Nous devons trouver le moyen de dissiper ce brouillard avant qu'il arrive une catastrophe.

Les deux savants avancèrent prudemment dans leur cabine, tandis qu'on entendait à l'extérieur le capitaine Kutter pester contre ce mauvais coup du sort :

— Par ma barbe rousse ! De toute ma carrière, je n'ai jamais vu une brume aussi épaisse. Êtes-vous toujours à la barre, monsieur Tétrapoulos ?

— Je n'ai pas quitté mon poste, capitaine, répondit prestement le timonier grec. Mais le gouvernail est toujours incontrôlable.

— Sacrebleu, nous voilà encore bien avancés ! Ces maudits squelettes vont me le payer, vous pouvez me croire ! jura le capitaine de *La Fleur de lys* en brandissant son pistolet.

Les murmures de l'équipage s'élevèrent d'un bout à l'autre du navire, puis ils se turent à nouveau pour laisser place aux craquements de la coque et du gréement. La plupart des marins étaient terrorisés face à l'inconnu qui les attendait. Jamais ils n'avaient été si peu rassurés d'entendre les bruits engendrés par leur propre bateau. Ils y étaient pourtant habitués, mais ce brouillard avait l'étrange effet de les amplifier en les rendant désagréables. Et plus ils avançaient dans l'antre du nuage, plus les sons redoublaient d'intensité. Agacés par ces craquements insupportables, plusieurs marins se bouchèrent même les oreilles en tenant leur tête à deux mains.

Aux côtés de son ami Corsarez, Flibus, fermement agrippé à la rambarde du gaillard d'arrière, subissait lui aussi ce bruit incessant. Il se força cependant à rester concentré afin d'être prêt à réagir à la moindre menace. Sa main était posée sur la garde de son épée, quand il s'écria tout à coup :

— Il n'y a pas que les craquements de notre bateau qui résonnent dans cette brume.

— Que veux-tu dire ? lui demanda Corsarez.

— J'en entends d'autres.

— En es-tu sûr ?

— Oui. Écoute bien. Il y a des craquements différents de ceux que nous entendons habituellement sur notre bateau.

— Par ma barbe rousse, il a raison ! confirma le capitaine Kutter. Je les distingue aussi, maintenant. Il y a un autre navire tout près, c'est certain.

En entendant ces affirmations, tous les marins présents sur le pont analysèrent à leur tour les bruits environnants. Bientôt, ils n'eurent plus aucun doute sur la présence d'un bateau en approche.

LE VOL DES GRIMOIRES

À bord de *La Fleur de lys*, l'angoisse de l'équipage atteignit son plus haut niveau. Plusieurs marins se munirent de lanternes et les tendirent devant eux, tout en se tenant prudemment à la rambarde. Malgré l'éclairage, personne ne parvint à voir le moindre bateau au milieu de l'épaisse brume. Tous entendaient pourtant clairement ses gréements craquer. Il était très près, de toute évidence, à quelques mètres seulement, mais toujours invisible. À voix basse, le capitaine Kutter venait de transmettre à ses marins l'ordre de se tenir prêts au combat, quand, tout à coup, les deux bateaux se percutèrent violemment. Brusquement déséquilibré, le capitaine anglais perdit son arme, qui tomba sur le sol. En raison du choc contre la crosse, le chien du pistolet se referma et un coup de feu partit, laissant apparaître une brève lueur à travers le brouillard.

— Qui a tiré ? demanda aussitôt Flibus.

— C'est moi, avoua le capitaine, quelque peu mal à l'aise. Le coup est parti tout seul. J'espère n'avoir touché personne.

— J'ai entendu deux ricochets, rapporta Corsarez. Je crois que la balle s'est perdue vers les hauteurs.

— Tout va bien, monsieur Broton ? s'empressa de s'informer le capitaine, soudain inquiet pour sa vigie.

— Je vais bien, capitaine ! Cependant, la balle n'est pas passée loin, il me semble. Je l'ai entendue siffler tout près de mon oreille.

Au même moment, la Tête de mort sortit de son drapeau en criant :

« PAR MON OS OCCIPITAL ! MAIS ILS LE FONT EXPRÈS, MA PAROLE ! JE NE PEUX JAMAIS ME REPOSER EN PAIX SUR CE RAFIOT ! »

Découvrant l'épaisse brume, elle poursuivit d'un air étonné :

« Mais qu'est-ce qui se passe encore, ici ? D'où vient ce brouillard ? Hum... À coup sûr, c'est une expérience des savants qui a encore mal tourné. Mais c'est qu'ils vont finir par blesser quelqu'un à force, ou pire, nous faire tous sauter avec le bateau ! Ils sont bons à être enfermés, ces deux grands malades. Ce sont de vrais dangers publics, moi, je vous le dis. »

Sentant tout à coup un léger courant d'air, la Tête de mort examina son drapeau de plus près. Elle remarqua, horrifiée, le trou laissé par la balle dans le tissu.

« MAIS C'EST UN ATTENTAT ! ON A VOULU M'ASSASSINER ! »

Immédiatement, elle s'accroupit pour ne pas rester à découvert.

« Mais dans quel monde vivons-nous, je me le demande ! On n'est plus en sécurité nulle part maintenant, même chez soi. C'est effrayant. Que faut-il faire pour se protéger de tous ces criminels qui pullulent? Oh, j'ai trouvé! Je vais engager un garde du corps. Un pas trop cher… ou mieux, un bénévole. Je dois bien avoir un admirateur qui serait prêt à faire ce travail gratuitement. Oui, mais le problème, c'est que je l'aurais tout le temps sur le dos, et je ne tiens pas à ce qu'il mette son nez dans mes affaires. Finalement, ce n'est pas une très bonne idée. Je pense plutôt que je vais demander l'aide du FBI, le Front des balayeurs indépendants. J'aurais certainement droit à une somme d'argent pour protéger mes biens. Après tout, je paie régulièrement ma cotisation annuelle. Ils me doivent bien ça, au FBI. Je défends ouvertement la cause des balayeurs. Je suis même la première à reconnaître que leur métier est sous-payé et mal considéré, alors que c'est grâce à eux que nos rues sont si propres. J'ai d'ailleurs en ma possession une belle collection de balais, dont un qui appartenait au très grand et brillant Galilée. Peu de gens le savent, mais c'est en tournant autour de sa femme de ménage, un jour où elle passait le balai, que Galilée aurait compris que la Terre tourne autour du Soleil. Tous ceux qui pensent que ça ne tournait pas rond chez lui ont tort. Ce balai, signé de sa main, est un beau témoignage de son intelligence. Pour sûr, ce Galilée était une tête, tout comme moi, en fait. Or ne serait-ce qu'en échange de cet objet de collection, le FBI pourrait bien participer à la fortification de l'entrée de mon drapeau. Maintenant, reste à savoir quand je recevrai des fonds. Car mon repaire ne sera pas protégé d'ici là, et il est hors de question que j'avance l'argent. Je ne suis pas riche comme Crésus, moi. La seule chose que je puisse faire, pour l'instant, c'est protéger ma propre personne... Voyons, hum... Je dois bien pouvoir trouver de quoi me fabriquer une cuirasse quelque part, réfléchit tout haut la Tête de mort, avant de se lever prestement en s'écriant: ALLEZ, HOP! AU BOULOT! »

Pendant ce temps, sur le pont, personne n'avait osé se rapprocher de la rambarde après la collision entre les deux navires.

Un incendie, heureusement vite maîtrisé, s'était même déclenché à cause de la chute accidentelle d'une lanterne. Les marins paniquèrent aussitôt en pensant à une attaque de l'ennemi, mais aucune menace ne se montra.

L'intensité de la brume diminua légèrement et leur permit enfin de distinguer une partie du bateau qui venait de les aborder.

— On dirait qu'il n'y a pas d'équipage à son bord, constata Mumbai en s'avançant le premier.

— Et si c'était un piège ? demanda Yasar, méfiant. Ils veulent peut-être nous faire croire qu'ils ont abandonné leur bateau, espérant que nous les abordions les armes baissées. Et hop ! Ils nous sauteront dessus au moment où nous nous y attendrons le moins...

Plusieurs matelots partageaient la même crainte, mais Mumbai les rassura, tout en désignant le bateau abandonné du doigt :

— Moi, je vous dis qu'il n'y a personne. Regardez l'état du pont et des gréements.

De toute évidence, il y a belle lurette qu'ils n'ont pas été entretenus.

— L'équipage est peut-être tombé malade, supposa Martigan en s'approchant à son tour de son fidèle acolyte.

— Et s'il avait été frappé par la peste ? enchaîna Cenfort.

— QUELLE HORREUR ! s'écria aussitôt Porouc. Il faut vite s'éloigner d'ici, sinon nous allons tous y passer.

À ces paroles, tous ceux qui s'étaient rapprochés de la rambarde reculèrent, de crainte d'être contaminés.

— Ce n'est pas la peste ! intervint le patriarche de la colonie de rats vivant à bord de *La Fleur de lys*.

— Qu'en sais-tu, le rongeur ? rétorqua Le Bolloch.

— Je le sais parce que nous, les rats, possédons un odorat très sensible. Et vous pouvez me croire, je sais parfaitement reconnaître les odeurs de la peste et de la mort, car je les ai côtoyées à maintes reprises au cours de ma vie. Or je ne ressens rien de tel en ce moment. Je ne sens même pas la présence d'un corps en décomposition ou bien les essences utilisées pour nettoyer lors des quarantaines. Non, comme l'a supposé Mumbai, il n'y a personne sur ce bateau, et ce, depuis longtemps.

— Le rat a raison, appuya le docteur Rogombo. De toute façon, s'il y avait eu une épidémie de peste et que les survivants n'étaient pas parvenus à la contenir, ils auraient mis le feu à leur navire juste avant de l'abandonner, pour en éviter la propagation.

— Dans ce cas, si ce n'est pas à cause de la peste, pourquoi l'équipage a-t-il abandonné son navire ? interrogea Gravenson, le marin d'origine scandinave.

Un bref silence s'installa sur *La Fleur de lys*, chacun cherchant la véritable raison de cet abandon. Tous les regards se tournèrent alors vers le pont et les voiles en lambeaux de l'étrange bateau, qui présentait de nombreux signes de dégradation avancée. Le brouillard

associé aux craquements toujours aussi inces-
sants laissa cependant Flibus et ses amis très
perplexes. Ce qu'ils voyaient n'avait rien de
rassurant, bien au contraire.

— C'est un bateau fantôme. Je ne vois
pas d'autre explication ! annonça finalement
Porouc.

— Tais-toi, oiseau de mauvais augure ! lui
reprocha aussitôt Le Bolloch. Tu vas encore
nous porter malheur.

— Je n'y suis pour rien, moi, se défendit
prestement le cordier. Ce n'est pas de ma faute
si notre mascotte a été enlevée. Ce sont ces
maudits squelettes, les responsables ! C'est à
cause d'eux si le mauvais œil est maintenant
sur nous.

— Arrêtez, tous les deux ! intervint Flibus.
Rien ne prouve que ce bateau soit réellement
hanté, mais qu'il le soit ou non, nous avons le
devoir de retrouver Castorpille. Et si pour y arriver nous devons affronter une armée de fantômes, eh bien, nous n'hésiterons pas un instant.
Notre amie est bien plus qu'une mascotte.

Elle fait partie de l'équipage. Elle est l'une des nôtres, comme tous ceux et celles qui vivent sur notre navire.

— JE SUIS D'ACCORD! approuva Ratasha en sautant sur la rambarde. Castorpille compte sur nous. Et quelque chose me dit qu'elle est sur ce bateau. Je sens son odeur toute proche, même si elle est à peine perceptible. Mais c'est bien la sienne, vous pouvez me croire. C'est ma meilleure amie. En tout cas, moi, je ne la laisserai pas tomber.

— Moi non plus! enchaîna Lin Yao en s'avançant à son tour.

Face à cette belle preuve de solidarité, Flibus sollicita la même bravoure de l'ensemble de l'équipage, mais la plupart des marins restèrent muets et baissèrent la tête. Combattre des esprits n'était vraiment pas leur tasse de thé. Même les animaux de l'enclos gardèrent le silence, trop effrayés à l'idée de devoir affronter d'éventuels revenants. Ratasha les observa tout d'abord avec une grande déception, puis elle comprit très vite la peur de ses amis, qui était en réalité bien légitime. Elle ne le leur reprocha pas, mais elle renouvela sa ferme décision de participer à la recherche de Castorpille.

Flibus n'insista pas non plus et demanda simplement aux volontaires de l'accompagner. Corsarez n'hésita pas à suivre son meilleur ami, comme à son habitude, mais en passant devant Martigan et Cenfort, il les entendit soudainement murmurer :

— Tant mieux ! Ça nous fera des vacances...

— Plaît-il ? demanda le maître d'équipage en se tournant vers les deux acolytes. Pouvez-vous répéter ce que vous venez de dire ?

— Qui ça, nous ? répondit Cenfort d'un air innocent.

— Oui, vous ! Et ne vous avisez surtout pas de nier, car je vous ai clairement entendus. L'un de vous a dit : « Tant mieux ! Ça nous fera des vacances. »

— Pas du tout, monsieur ! assura Martigan en replaçant son bandeau noir sur son œil.

J'ai dit à mon ami : « Hé, vieux ! Ça te dit qu'on s'avance ? »

— Voyez-vous ça ! s'étonna Corsarez.

— C'est pourtant la vérité, monsieur ! insista le marin borgne, en demandant confirmation à son ami. Pas vrai, vieux, que c'étaient bien là mes paroles ?

— Ah bon ? répondit bêtement Cenfort avant de sentir un vif pincement derrière sa cuisse. AH, OUI, je me souviens ! C'est la stricte vérité, monsieur.

— Vous voyez ! enchaîna Martigan. Peut-être avez-vous cru entendre : « Tant mieux ! Ça nous fera des vacances », mais j'ai bien dit : « Hé, vieux ! Ça te dit qu'on s'avance ? » Dans le sens de « Et si on se portait volontaires ? », vous comprenez ?

— Vraiment ? souffla Corsarez, d'un air méfiant.

— Mais si vous avez suffisamment de volontaires, on n'insistera pas ! se dépêcha d'ajouter le marin borgne.

— Pas du tout, messieurs, intervint alors Flibus, visiblement ravi. Vous ne serez pas de trop. Je vous félicite pour votre courage.

Les deux acolytes se jetèrent un bref regard du coin de l'œil. Ils étaient loin d'être envahis par la joie, mais pour ne pas montrer à leurs compagnons qu'ils s'étaient fait piéger, ils s'avancèrent avec un léger sourire un peu crispé.

Le Bolloch et Mumbai s'ajoutèrent aux volontaires, mais pour Lin Yao, Flibus exigea l'autorisation de maître Chow avant de l'accepter dans le groupe. Après tout, elle était sous sa tutelle. Elle se dépêcha d'aller voir son oncle, qui sortait justement de sa cabine en criant et en agitant les bras :

— C'EST TERRIBLE ! LES GRIMOIRES NE SONT PLUS LÀ ! ON NOUS LES A VOLÉS !

— Tu en es sûr ? demanda Lin Yao.

— Mais puisque je le dis, enfin ! rétorqua son oncle, agacé par la question. Je les avais bien rangés dans leur compartiment, mais là, ils n'y sont plus.

— À coup sûr, ce sont ces maudits squelettes ! déclara Porouc d'un air effrayé.

— Mais comment auraient-ils fait ? Maître Fujisan et moi-même sommes les seuls à connaître la manière d'ouvrir ce compartiment.

— Comment auraient-ils fait, vous vous le demandez ? répéta le cordier, convaincu d'avoir trouvé les coupables. Voyons, avec des revenants, rien n'est impossible !

Maître Fujisan, qui était resté dans la cabine, en sortit à son tour en brandissant un bout de papier.

— Regardez, j'ai retrouvé le mot que j'avais coincé sous la tapette à souris. Quelqu'un y a laissé un autre message.

— Que dit-il ? demanda maître Chow.

— *Est pris celui qui croyait prendre.*

— Oh, les scélérats ! pesta le savant chinois. En plus de commettre leur méfait, ces squelettes ont eu l'audace de nous narguer ! Ont-ils inscrit autre chose qui pourrait nous mettre sur une piste ?

— Non, c'est tout ce qu'ils ont écrit. Tenez, prenez ce papier, si vous voulez vérifier.

— Mais je vous crois, cher ami, répondit maître Chow en attrapant néanmoins le bout de papier.

Le savant chinois lut rapidement le mot, avant de demander :

— Avez-vous vu cette marque sur le coin droit ?

— Quelle marque ?

— Attendez. On dirait une... PAR LA GRANDE MURAILLE ! Mais c'est une empreinte de patte de castor !

— Vous en êtes sûr ? demanda Flibus.

— Absolument. Même si l'empreinte n'est que partielle, je reconnais parfaitement la forme des doigts. Je dirais même qu'il s'agit d'une patte avant, car celles de derrière sont plus grandes et palmées.

— Notre voleuse serait donc Castorpille ? s'écria maître Fujisan, stupéfait.

— Cela ne fait plus aucun doute, maintenant. Elle n'a probablement pas apprécié qu'on lui interdise l'accès de notre cabine…

— Et que je place ce piège, enchaîna le savant japonais, même si je ne l'avais pas mis en fonction. D'ailleurs, cela explique pourquoi la tapette s'est refermée sur votre pied.

— C'est donc elle qui l'a enclenchée. Ah, la chipie! Mais pourquoi est-elle allée jusqu'à nous dérober les grimoires?

Ayant écouté toute la conversation, Ratasha confia finalement:

— Elle voulait vous démontrer que votre cachette n'était pas aussi sûre que vous le pensiez.

— Tu étais donc au courant! s'étonna maître Chow.

— Disons qu'elle m'avait fait part de cette idée, mais je ne croyais pas qu'elle irait au bout de son geste, et encore moins qu'elle réussirait à ouvrir le compartiment.

— Mais quelle imprudente! souffla le savant chinois. Ne savait-elle pas qu'elle nous exposait tous à un grand danger en prenant ces grimoires ? S'ils viennent à tomber entre de mauvaises mains, les conséquences pourraient être désastreuses. Plusieurs de ces sortilèges sont redoutables.

— Reste à savoir si elle les avait avec elle quand ce squelette l'a enlevée, s'interrogea Flibus.

— Non, elle ne les avait pas, rapporta Margarete, la vache laitière.

— Je confirme, ajouta Sésame, la chèvre, juste avant la remarque de Corsarez.

— Elle a dû les cacher sur le navire.

— Espérons-le, mon jeune ami, espérons-le, soupira maître Chow. Mais si les grimoires sont encore sur ce bateau, il faut vite les retrouver, car avec tous ces maladroits qui vivent à bord, je crains le pire si on ne les récupère pas rapidement.

Face à l'urgence, le capitaine Kutter donna l'ordre à un groupe de marins triés sur le volet de se mettre à la recherche des deux vieux livres.

LE BATEAU HANTÉ

Les deux savants s'apprêtaient à regagner leur cabine pour vérifier si Castorpille n'y avait pas caché les grimoires dans un coin, quand Lin Yao les interpella, de peur de manquer l'occasion :

— Je sais que ce n'est peut-être pas le bon moment, oncle Huan, mais j'aimerais accompagner le groupe de volontaires sur l'autre bateau. Es-tu d'accord ?

— C'est hors de question !

— Mais je te promets de bien faire attention et d'écouter toutes les consignes…

— Non, c'est non ! Tu es sous ma responsabilité, et je ne tiens pas à te voir risquer ta vie sur un navire en si piteux état !

— Mais c'est pour retrouver Castorpille…

— Ah! S'il te plaît, Lin Yao, ne me parle pas de cette petite écervelée. C'est de sa faute si nous en sommes là.

— Mais pas du tout, oncle Huan! Ce n'est quand même pas de sa faute si elle a été enlevée. De plus, Castorpille est un membre de l'équipage à part entière, tout comme moi. Et je peux aider nos amis à la retrouver. Tout le monde ici sait de quoi je suis capable…

— Peut-être, mais tu n'iras pas sur ce bateau, un point c'est tout! C'est beaucoup trop dangereux pour une jeune fille!

— C'est injuste! bougonna Lin Yao, en croisant vivement ses bras.

— C'est plutôt toi qui es injuste envers moi, en me demandant une telle chose.

— C'est faux!

— Plaît-il?! Là, c'en est trop, jeune fille! Tu l'auras cherché. Tu es consignée dans ta cabine pendant une semaine…

— Oh non, pas ça!

— Trop tard.

— Je t'en prie, oncle Huan…

— Non ! Et si tu t'entêtes à me répondre encore une fois, ce sera deux semaines.

Devant cette menace, la nièce de maître Chow se tourna vers Flibus d'un air implorant, en espérant qu'il plaide en sa faveur. Mais à la place, elle l'entendit plutôt dire :

— Je suis désolé, Lin Yao. Je ne peux pas aller contre l'autorité de ton oncle. Il est ton tuteur. D'ailleurs, il n'a pas tort. Cette expédition comporte certains risques, compte tenu de l'état de dégradation du bateau.

Visiblement déçue de ne pas avoir été soutenue, la jeune Chinoise cria de rage et fila le plus loin possible en courant, sous les regards de tous les marins réunis sur le pont.

— Eh bien, elle a du caractère, cette petite, fit remarquer le capitaine Kutter. Cependant, elle a encore beaucoup de choses à apprendre sur la discipline et l'obéissance. Certes, il faudra être très patient avec elle, mais nous finirons bien par en faire un bon marin. En attendant, laissons-la un peu tranquille, car il y a plus urgent.

Sans plus tarder, Flibus et son groupe s'amarrèrent au bateau qui les avait accostés, puis ils montèrent à son bord. Un par un, ils accédèrent au pont supérieur en posant prudemment leurs pieds sur les planches de bois, dont les craquements n'avaient rien de rassurant. Le brouillard était toujours présent, mais un peu moins épais, ce qui leur permettait de mieux voir une partie du gréement et des voiles, déchirées en de nombreux endroits. Le navire avait toutes les apparences d'une frégate à trois mâts, tout comme *La Fleur de lys*.

Épées en main, les explorateurs avancèrent en direction du gaillard d'arrière. Ils avaient à peine fait quelques pas qu'un bruit sec les arrêta brusquement. Le temps qu'ils observent les alentours, une ombre grandissante se dessina à leurs pieds. Ratasha leva la tête la première et vit la silhouette d'un gigantesque oiseau au bec crochu qui descendait sur le groupe à toute vitesse.

— ATTENTION, UN AIGLE GÉANT !

Tout le groupe se retrouva pris au piège, sous les regards effrayés des marins restés à bord de *La Fleur de lys*. Ces derniers n'avaient malheureusement pas pu avertir leurs compagnons du danger à temps, car eux non plus n'avaient rien vu venir à cause du brouillard.

Dans un réflexe de survie, Flibus et Corsarez brandirent leurs épées pour se défendre. Ils sentaient le poids de la bête sur eux, mais ils se débattirent avec force en transperçant l'oiseau à plusieurs reprises. Alors qu'ils parvenaient enfin à se dégager, ils entendirent les rires du capitaine et de l'équipage, restés sur *La Fleur de lys*. Les deux amis comprirent la cause de cette hilarité en regardant autour d'eux et en constatant quel « danger » ils avaient affronté.

— AU SECOURS ! SORTEZ-NOUS DE LÀ ! cria au même moment Martigan, qui était toujours pris au piège avec les autres.

Flibus esquissa un sourire, tandis que Corsarez ramassait la lanterne échappée par Mumbai.

— Vous n'avez rien à craindre, lança finalement le quartier-maître à ses camarades. Vous pouvez sortir. Ce n'est qu'une vieille voilure qui s'est détachée du gréement avec une partie de sa vergue.

Rassurés, Martigan et le reste du groupe se dépêchèrent de se frayer un passage à travers la toile en la déchirant de toutes parts. Les rires s'accentuèrent lorsque leurs têtes apparurent dans les différentes ouvertures.

— C'EST ÇA, RIEZ BIEN, BANDE DE MORUES ! pesta le marin borgne en se tournant vers ses compagnons rassemblés sur le pont de *La Fleur de lys*. En attendant, nous, nous avons eu le courage de monter à bord de ce bateau.

— N'en faites pas trop, monsieur Martigan ! murmura Corsarez en rendant sa lanterne à Mumbai.

Le maître d'équipage s'efforçait de rester souriant pour ne pas montrer sa gêne d'avoir lui aussi été effrayé par une simple voilure.

— C'est la faute de la rate ! continua Martigan. C'est elle qui nous a fait croire qu'on était attaqués par un aigle géant.

— Eh, mais je n'y peux rien, moi, se défendit aussitôt Ratasha. C'est ce brouillard qui m'a induite en erreur…

— Allons bon, la belle excuse ! Il n'en reste pas moins qu'on rit de nous, maintenant. Nos amis ne vont pas se priver de raconter notre petite mésaventure dans toutes les tavernes. Ça, vous pouvez en être sûrs ! Ah, si j'avais su, je ne me serais pas porté volontaire.

— Et moi non plus, enchaîna Cenfort.

Au même moment, une silhouette passa tout près d'eux à vive allure.

— J'ai vu quelque chose bouger ! avertit encore Ratasha en tendant sa patte vers la gauche.

— Ah, non ! pesta Martigan. Une fois, c'est assez !

— Mais c'est vrai, je vous assure ! Je n'ai pas pu voir ce que c'était, mais on n'est pas les seuls sur ce bateau, c'est certain.

— Raison de plus pour rester sur nos gardes ! conseilla Flibus. Récupérez vos épées et suivez-moi ! Si Castorpille est à bord, nous devons la retrouver au plus vite, avant que ce vieux rafiot nous envoie tous par le fond.

Sans plus attendre, les explorateurs reprirent leurs recherches sous les regards attentifs de leurs camarades. Ces derniers les perdirent cependant de vue lorsqu'ils s'enfoncèrent davantage dans le brouillard. Seule la lueur de la lanterne de Mumbai resta encore perceptible quelques instants, puis plus rien. Les récents rires de l'équipage laissèrent peu à peu place à l'inquiétude.

Les courageux marins atteignirent bientôt une écoutille restée ouverte. Flibus et Corsarez s'y penchèrent les premiers pour regarder à l'intérieur, mais ils ne décelèrent toujours pas le moindre signe de vie. La visibilité étant encore plus réduite sous le pont inférieur, Flibus commanda prestement :

— Passez-moi la lanterne, monsieur Mumbai !

Le marin originaire de l'Inde la lui tendit aussitôt, sans toutefois pouvoir empêcher sa main de trembler. Il n'était pourtant pas de nature à avoir peur, d'habitude. Il avait même souvent tendance à foncer tête baissée devant le danger, qu'il côtoyait depuis déjà longtemps. Mais se retrouver sur un navire potentiellement hanté n'avait rien de comparable avec un combat contre un adversaire bien réel, constitué de chair et d'os. Face à un pirate ennemi ou à un monstre marin, ses amis et lui savaient au moins à qui ils avaient affaire, tandis que dans le cas présent, ils n'avaient aucune idée de ce qui les attendait vraiment. C'était le grand mystère.

— Alors, vois-tu quelque chose ? demanda Corsarez.

— Non, rien du tout, répondit Flibus, à plat ventre, la tête penchée par l'ouverture. Il n'y a pas une seule âme qui vive là-dessous. C'est même entièrement vide. Tout ce qui se trouvait à bord semble avoir été emporté.

— Castorpille est peut-être enfermée dans les cales, supposa Ratasha.

— C'est possible, mais pour en être sûrs, il va falloir que nous prenions le risque de descendre par cette écoutille.

— C'est parfait! s'écria Martigan. Vous pouvez y aller pendant que Cenfort et moi, nous resterons ici pour faire le guet.

— Bonne idée.

La réponse du quartier-maître surprit agréablement le marin borgne et son acolyte, qui s'attendaient à un refus catégorique. Ravis de ne pas être obligés de descendre dans ce trou à rats, les deux hommes échangèrent un clin d'œil complice. En restant sur le pont supérieur, ils avaient au moins l'avantage de pouvoir déserter rapidement les lieux en cas de danger. Ils s'étaient cependant à peine quittés des yeux qu'un étrange craquement les alerta. Ils regardèrent aux alentours, tout comme leurs compagnons, quand une voix les avertit :

— ATTENTION, LE MÂT!

Flibus et ses amis eurent juste le temps de s'écarter avant qu'une énorme masse en bois, en partie pourrie, s'abatte sur le pont.

— Eh bien, on l'a échappé belle ! fit remarquer Le Bolloch en replaçant son foulard sur sa tête.

— Par contre, on ne pourra plus passer par cette écoutille pour atteindre les cales, constata Flibus avec une grande déception. Regardez, elle est entièrement condamnée, maintenant.

— C'est à croire qu'on cherche à nous empêcher de descendre.

— C'est bien possible, monsieur Le Bolloch, mais une voix nous a aussi avertis du danger, souligna le quartier-maître. Et je ne crois pas me tromper en affirmant que notre bienfaiteur avait une voix féminine.

— En tout cas, ce n'était pas moi !

— Nous le savons bien, Ratasha. Le cri venait de plus loin.

Au même moment, Mumbai s'écria :

— HÉ ! Je viens d'apercevoir une silhouette au milieu du brouillard.

— Ah, vous voyez que j'avais raison ! triompha la jeune rate avant de s'exclamer : REGARDEZ ! Elle passe maintenant sur notre droite !

Cette fois-ci, Corsarez bondit comme un lion en chasse et s'élança à toute vitesse en direction de la silhouette. Ses amis le perdirent aussitôt de vue, mais ils entendirent clairement une chute sur le pont, suivie par une brève lutte.

— Vous croyez qu'il a attrapé notre inconnu ? s'inquiéta Cenfort face au silence soudain.

— Attendez ! J'entends deux séries de pas en approche ! avertit Ratasha, profitant de son ouïe très développée.

— Oh, non ! paniqua davantage Cenfort. Corsarez s'est sans doute fait prendre par des esprits malveillants, et les voilà qui reviennent vers nous pour tous nous posséder...

— Notre ami est peut-être l'un des leurs maintenant, enchaîna Martigan, car je crois reconnaître sa silhouette qui arrive.

Tous brandirent leurs épées sans plus attendre, prêts à se défendre. Seul Flibus laissa son arme dans son fourreau, tout en laissant sa main sur la garde, au cas où. Il ne pouvait pas croire que son meilleur ami puisse s'être fait prendre aussi facilement, mais une terrible angoisse l'envahit lorsqu'il vit Corsarez sortir brusquement du brouillard avec de la compagnie. Il s'exclama le premier :

— LIN YAO ! Mais que fait-elle là ?

— Elle nous a tout simplement suivis, expliqua Corsarez en tenant la nièce de maître Chow par l'épaule.

— Mais qu'est-ce qui t'a pris, jeune fille ? pesta Flibus. As-tu au moins conscience du danger que tu courais en t'aventurant seule sur ce vieux bateau ? Et en plein brouillard par-dessus le marché. Tu aurais pu te rompre le cou ou, pire encore, nous aurions pu te tuer accidentellement en te prenant pour l'ennemi... Ce n'était vraiment pas prudent de ta part...

— Elle mériterait une bonne correction, cette petite ! jeta Le Bolloch, tout aussi remonté que ses amis d'avoir été effrayé par une gamine. Si j'étais ton oncle, je n'hésiterais pas à t'enfermer un mois dans ta cabine pour t'apprendre à obéir. Tu n'en sortirais que pour récurer le pont. Tu verrais ainsi que la vie de marin n'est pas à prendre à la légère et que des comportements inconsidérés comme le tien peuvent avoir de graves répercussions. Pas seulement sur toi, mais aussi sur l'ensemble de l'équipage.

— Peut-être bien, répondit Lin Yao en cherchant à se justifier, mais en attendant, c'est moi qui vous ai avertis lorsque le mât s'est abattu dans votre direction. Si je n'avais pas été là à ce moment précis, vous ne seriez sans doute plus de ce monde pour me faire la leçon...

— Là, il faut reconnaître qu'elle marque un point! souligna Ratasha, qui s'identifiait assez bien à la jeune fille au comportement un peu rebelle.

En entendant ce constat, tous durent admettre que Lin Yao leur avait sauvé la vie. Aussi, ils ne lui tinrent plus rigueur de les avoir suivis sans permission. Ils la congratulèrent même chaleureusement, en promettant de rapporter son acte héroïque à leur retour sur *La Fleur de lys*. Ensuite, ils cherchèrent ensemble une autre issue afin de descendre dans les cales. Pour cela, ils choisirent d'inspecter le gaillard d'arrière, au cas où un accès direct aux étages inférieurs se trouverait dans la cabine du capitaine.

LES MONTAGNES RUSSES

À bord de *La Fleur de lys*, le capitaine Kutter et l'équipage se réjouirent d'entendre leurs compagnons signaler qu'ils étaient toujours sains et saufs. Toutefois, maître Chow n'apprécia pas d'apprendre que Lin Yao avait rejoint le groupe d'expéditeurs sans son accord. Arrêtant provisoirement les recherches des deux grimoires, il se rendit rapidement sur le pont. Très en colère, il exprima ouvertement son mécontentement auprès de ses amis marins, puis il s'éloigna discrètement sans dire un mot de plus. Il avait bien du mal à dissimuler sa honte de ne pas avoir su faire respecter son autorité. Mais une fois seul sur le gaillard d'avant, il ne quitta plus du regard le vieux bateau en espérant de tout cœur que sa nièce et ses amis reviennent en vie.

Pendant ce temps, au milieu du brouillard, Flibus et Corsarez avançaient de chaque côté de Lin Yao, comme deux gardes du corps. Le reste du groupe suivait juste derrière, tandis que Ratasha fermait le convoi afin d'être sûre de ne pas se faire marcher sur les pattes. La jeune rate pointait énergiquement son museau dans toutes les directions et humait l'air sans relâche. Elle espérait déceler ainsi l'odeur familière de Castorpille. Elle n'avait cependant encore rien senti de particulier. Seul son instinct lui dictait que son amie se trouvait sur ce bateau, sans pour autant lui confirmer qu'elle était toujours en vie. Elle s'arrêta brusquement en entendant une plainte lointaine.

— Vous avez entendu ? demanda-t-elle à ses compagnons.

— Entendu quoi ? interrogea Mumbai en balançant sa lanterne devant lui, de gauche à droite.

— Eh bien, Castorpille ! Elle nous a appe-lés à l'aide.

— En tout cas, moi, je n'ai rien entendu.

— Attendez ! C'est vrai, je viens de l'enten-dre, affirma Cenfort.

— Moi aussi, confirma Martigan.

— Ah, vous voyez ! se réjouit la jeune rate.

— Oh, ça m'étonnerait qu'ils aient perçu quoi que ce soit, ces deux-là, rétorqua Corsarez. Habituellement, quand je les appelle, ils ne répondent jamais.

— Normal, si c'est pour nous expédier au travail, vous pouvez être certain qu'on fait toujours la sourde oreille…

— Mais tu ne pouvais pas te taire, patate ! reprocha aussitôt Martigan à son ami, tout en lui donnant un violent coup de coude. Tu viens de nous démasquer. Tu peux être également sûr qu'on aura droit à toutes les sales corvées en rentrant.

— Bah, on trouvera toujours le moyen de se défiler. Tu ne crois pas ?

Martigan réfléchit un instant avant d'adresser un large sourire à son acolyte.

— Tu as raison, l'ami. Les idées ingénieuses, ce n'est pas ça qui nous manque…

Au même moment, une nouvelle plainte se fit entendre, mais plus distinctement cette fois-ci.

— Ça vient d'en dessous ! signala Le Bolloch. Par tribord, on dirait.

— Non, c'était plutôt par bâbord, précisa Ratasha.

— Pas du tout !

— Peu importe ! coupa aussitôt Flibus. Il nous faut d'abord trouver un accès pour rejoindre les cales. Ensuite, nous pourrons décider de quel côté chercher, même si j'aurais davantage tendance à me fier à l'ouïe aiguisée d'une rate plutôt qu'à celle d'un homme…

— Ah, merci ! se rengorgea Ratasha.

— Oh, ça va, la rate ! Inutile de se la jouer ! râla le marin breton.

Flibus et ses amis atteignirent enfin l'entrée de la cabine du capitaine. Ils trouvèrent la porte légèrement entrouverte. Elle montrait de nombreux signes d'usure, mais elle était encore bien fixée sur ses gonds. Le quartier-maître de *La Fleur de lys* jeta alors un bref regard vers ses amis pour s'assurer que tout le monde était bien là, puis il poussa la porte. Elle craqua aussitôt sous l'effort, puis soudain, le plancher s'effondra. Ils tombèrent tous à pieds joints dans deux wagonnets et se retrouvèrent très vite entraînés sur des rails, sans pouvoir réaliser ce qui venait de se produire. Sous l'effet brutal de l'apesanteur, ils ne purent s'empêcher de crier, à plus forte raison en plongeant tout à coup dans l'obscurité. La voix de Mumbai s'entendait toutefois plus distinctement que celle de ses compagnons, car il sentit des griffes s'agripper à son épaule. Il comprit très vite que c'était Ratasha et il l'expédia violemment sur Martigan, qui hurla de plus belle.

Les deux wagonnets roulèrent à toute vitesse sur les rails en se percutant plusieurs fois au fil des descentes et des remontées. Les soubresauts étaient si forts que Flibus et ses amis ne parvenaient même pas à se relever pour tenter une manœuvre de sortie. Seules leurs têtes dépassaient, mais dans le noir total, il leur était impossible de voir exactement où ils se dirigeaient.

Au détour d'un virage, ils virent enfin une lueur, puis aussitôt après, une silhouette ayant un visage horrible apparut brusquement devant eux. Les occupants du premier wagonnet poussèrent des cris d'effroi. Ceux du deuxième wagonnet crièrent peu après lorsqu'ils traversèrent à leur tour le fantôme de part en part. Cette fois-ci, il n'y avait plus de doute. Ils étaient bel et bien à bord d'un bateau hanté.

Flibus et ses amis n'eurent même pas le temps de reprendre leur sang-froid qu'ils se retrouvèrent à nouveau dans l'obscurité. Ils éprouvèrent bientôt un effroyable haut-le-cœur en plongeant subitement dans le vide, avant de remonter tout aussi rapidement, presque à la verticale. Assis à l'arrière du premier wagonnet, Corsarez reçut tout le poids de Flibus et de Lin Yao contre sa poitrine, ce qui lui coupa net le souffle. Dans l'autre chariot, Mumbai connut la même expérience, mais il n'hésita pas à repousser violemment ses compagnons pour les écarter. Seule Ratasha s'en tira plutôt bien en ayant été rejetée à l'avant ; sans cela, elle aurait probablement été écrasée sous le poids des quatre marins.

De retour sur une surface plane, Flibus parvint enfin à se relever. Il tâta les parois du wagonnet à la recherche d'un levier de frein, mais quelque chose l'agrippa par les cheveux et le fit basculer en arrière. De rage, et à l'aveuglette, il tenta d'attraper son agresseur sans pouvoir y parvenir. Agacé, il éprouva alors une forte envie de se servir de son épée. Il se garda néanmoins de le faire, pour éviter de blesser ses amis. Il se résigna plutôt à rester assis et à attendre qu'ils finissent par s'arrêter.

L'épreuve était cependant loin d'être terminée, puisque le wagonnet chuta à nouveau dans le vide et plongea dans de l'eau, pour en ressortir peu après. L'effet de surprise fut d'autant plus terrible que l'eau était glacée.

Tous restèrent figés, impuissants face à la situation. Très vite, la peur laissa la place au désespoir. Ils n'avaient aucune idée de la façon dont leur périple allait se terminer. La suite n'annonçant rien de bon, l'issue finale semblait cependant être toute tracée. Ceux qui les avaient entraînés dans ce piège ne tenaient probablement pas à les voir sortir vivants du bateau. Alors que cette pensée noire leur traversait l'esprit, une barrière de rondins arrêta brusquement les deux wagonnets. Sous l'impact, tous les occupants furent éjectés et retombèrent lourdement sur le plancher.

Flibus se redressa le premier, le corps endolori, et chercha aussitôt du regard Lin Yao. Il fut soulagé de la voir allongée derrière lui, saine et sauve. Il l'aida à se relever, tout en jetant un rapide coup d'œil sur le reste du groupe.

Tous ses compagnons étaient là, à l'exception de la rate.

— Où est Ratasha ?

— Elle était dans notre wagonnet, répondit Mumbai.

Au même moment, tous entendirent une petite voix étouffée :

— Hum…

— Je viens de l'entendre, elle n'est pas loin ! s'écria Flibus.

Une nouvelle plainte sourde attira cette fois-ci l'attention de tout le groupe :

— *Faites-moi sortir !*

— Elle est sous ton tricorne, Martigan ! s'écria Corsarez en voyant le marin borgne en partie assis sur son chapeau. Écarte-toi, voyons, ou tu vas l'écraser !

Martigan se redressa prestement, souleva son tricorne et libéra enfin la malheureuse rate.

— EH BIEN, C'EST PAS TROP TÔT ! s'emporta Ratasha. J'ai failli mourir étouffée, là-dedans. Et je ne vous parle même pas de l'odeur.

Oh, là, là! Depuis combien de temps ne t'es-tu pas lavé les cheveux, Martigan?

— Hé, mais ça ne fait pas longtemps! se défendit aussitôt le marin borgne. C'était à Noël, si mes souvenirs sont bons.

— À NOËL! Mais ça fait déjà six mois!

— Mais non, pas ce Noël-là! Celui d'avant! rétorqua Martigan.

— QUOI! MAIS C'EST PIRE! l'apostropha la jeune rate, tout en avalant l'air par grandes bouffées pour reprendre son souffle.

Au même moment, un frottement de chaînes les alerta tous. Les têtes se tournèrent dans tous les sens, mais personne ne remarqua la moindre présence. La semi-obscurité des lieux ne permettait pas de voir correctement les extrémités du compartiment. Portant alors son index devant sa bouche pour demander le silence complet, Flibus avança seul en direction de l'endroit d'où le bruit lui semblait provenir. Il se déplaça de quelques mètres, son épée en main, et rencontra bientôt une trappe fermée par une épaisse grille de fer. Avec la plus grande prudence, il se pencha pour regarder à travers la grille, puis il s'exclama :

— Castorpille !

— Flibus ! C'est bien toi ? s'écria à son tour le rongeur en redressant la tête.

— Oui. Ça va ? Tu n'es pas blessée ?

— Non. Je suis simplement enchaînée. Tu ne peux pas savoir comme je suis heureuse de te revoir. Je savais que vous finiriez par me retrouver.

Flibus et ses amis cherchèrent aussitôt le moyen de libérer Castorpille, mais ils ne réussirent pas à ouvrir le lourd cadenas.

— Ce sont les squelettes qui t'ont enfermée ici ? demanda Corsarez, en se penchant à son tour.

— C'est difficile à dire, car ils m'ont bandé les yeux en me sortant du sac. Je suis simplement parvenue à enlever mon bandeau une fois qu'ils sont partis.

— Et où sont-ils allés ? Tu le sais ?

— Non, mais je les ai vaguement entendus parler d'une récompense pour ma capture.

Ils doivent avoir des complices. Ils sont probablement avec eux, quelque part sur ce bateau.

— Ils veulent peut-être nous demander une rançon, supposa Mumbai.

— C'est possible, admit Flibus. Mais, dans ce cas, pourquoi ne sont-ils pas là ? Il devrait y avoir des gardes pour surveiller Castorpille et s'assurer qu'on ne vienne pas la libérer.

— C'est parce qu'ils nous ont tendu un piège ! s'écria Le Bolloch en se retournant, persuadé que les squelettes allaient surgir d'une minute à l'autre.

Ses amis l'imitèrent en brandissant leurs épées. Flibus et Corsarez firent de même, tout en se plaçant de chaque côté de Lin Yao pour la protéger, mais personne ne se présenta.

Martigan s'avança vers la paroi la plus proche à la recherche d'un sabord. Pensant en avoir trouvé un, il le poussa pour l'ouvrir, mais celui-ci resta bloqué.

— Attends, j'ai trouvé un levier ! annonça son ami Cenfort.

— NON, NE TOUCHE À RIEN! s'écria Flibus.

Le tonnelier avait déjà commencé à baisser le levier, ce qui entraîna aussitôt l'ouverture d'une porte dans la direction opposée. Celle-ci coulissa du bas vers le haut.

Cenfort et ses amis reculèrent de surprise. Ils restèrent bientôt bouche bée en découvrant les treize squelettes enfermés dans une cellule munie de barreaux.

— Mais que font-ils là? s'étonna Mumbai.

— Je ne comprends plus rien, avoua Le Bolloch. Comment ont-ils pu se retrouver prisonniers, alors que ce sont eux, les kidnappeurs?

— Castorpille avait raison, fit remarquer Corsarez. Ils n'étaient pas seuls.

À nouveau sur leurs gardes, Flibus et ses amis tinrent plus fermement leurs épées, prêts à combattre. Leur position était loin d'être à leur avantage. Leurs adversaires devaient être redoutables pour avoir réussi à enfermer les treize squelettes. Qui pouvaient-ils bien être ? De réels marins ou bien des sortes de revenants comme la bande de pirates dépourvus de chair ? Les huit compagnons devaient s'arranger pour quitter les lieux rapidement tout en trouvant le moyen de libérer Castorpille.

LE FANTÔME
DU MAHARADJAH

Flibus et Corsarez frappèrent tour à tour le cadenas qui scellait la trappe sous laquelle Castorpille était enfermée. Malheureusement, ils eurent beau cogner dessus avec la garde de leurs épées ou leurs pieds, rien n'y fit. Même les balles de tous les pistolets disponibles n'eurent aucun effet sur la serrure. Mais les deux amis ne perdirent pas pour autant leur détermination. Tandis que l'un tentait de tordre la ferraille, l'autre creusait le bois avec un couteau, afin de détacher la partie de la grille fixée au plancher. La manœuvre était longue et ardue, mais pour le moment, c'était la seule qui avait des chances de réussir, à condition, bien sûr, d'avoir suffisamment de temps.

Ratasha, elle, s'était faufilée à travers le quadrillage grâce à sa petite taille. Elle avait pu ainsi rejoindre son amie pour l'aider à se dégager des chaînes qui la retenaient prisonnière.

Pendant ce temps, Lin Yao et les autres cherchaient inlassablement un moyen d'ouvrir les sabords. Ceux-ci étaient situés à l'opposé de l'endroit où ils avaient amarré leur navire, donc hors de portée de voix de leurs amis.

— Inutile de vous fatiguer, vous n'arriverez pas à sortir d'ici ! leur jeta tout à coup le capitaine Dryboone, depuis sa cellule.

— Notre chef a raison. Vous êtes coincés sur ce bateau, tout comme nous. Vous allez croupir là. Dans peu de temps, il ne vous restera plus que la peau sur les os.

Glacés d'effroi par ce commentaire, les matelots de *La Fleur de lys* se regardèrent en silence.

— Ne vous laissez pas distraire par ces squelettes ! commanda Flibus, qui avait le souffle coupé en raison des efforts qu'il fournissait pour rompre la serrure. On finira par sortir d'ici, vous verrez…

— Oui, les pieds devant, allongés dans des cercueils! leur lança à nouveau le capitaine Dryboone, ce qui provoqua aussitôt l'hilarité de ses hommes.

— Ne les écoutez pas. Continuez à chercher une issue.

L'instant d'après, chacun arrêta son geste en entendant un grincement de porte. La plupart voyaient déjà leur fin arriver quand, soudain, une voix sortie d'outre-tombe les interpella dans leur propre langue:

— Soyez les bienvenus à bord!

Flibus et ses amis se retournèrent en direction de celui qui s'avançait vers eux avec la grâce digne d'un prince, mais ils restèrent bouche bée en découvrant un fantôme flotter dans les airs. Ce dernier était revêtu d'une longue tunique de couleur ocre et ornée de nombreux motifs rouges et dorés. Les mêmes motifs dorés étaient représentés sur son pantalon, et il portait à ses pieds des babouches rouges au bout recourbé vers le haut. Sa tête était parée d'un large turban qui comprenait deux bandes rouges ornées d'or et recouvertes de perles. En son centre, juste au-dessus du front, il y avait aussi un gros diamant bleu d'une beauté remarquable. Mais les marins de *La Fleur de lys* ne s'attardèrent pas vraiment sur l'apparence noble du fantôme. Ils étaient plutôt stupéfaits de le voir tenir en suspension au-dessus du plancher. À travers son corps, ils distinguaient même les objets qui se trouvaient sur le bureau situé juste derrière lui.

— C'est qui, ce fantôme ? demanda Martigan.

— C'est un maharadjah, expliqua Mumbai. En Inde, j'en ai déjà vu un, une fois. Je n'avais pas pu l'approcher à cause de la foule, mais il était habillé de la même façon, tel un prince.

— Moi, je n'ai rien à craindre alors ! se réjouit tout à coup Cenfort. Puisque je n'ai jamais rencontré de prince indien, je n'ai pas pu causer de tort à ce *marin dada djah*, comme tu l'appelles.

— Maharadjah, le reprit Lin Yao en devançant Mumbai.

— Oui, bon, c'est presque pareil. Ce qui m'importe, c'est que ce revenant n'ait aucune raison de vouloir se venger de moi. En tout cas, je l'espère…

— Je ne vous veux effectivement aucun mal, répondit le fantôme en tendant son bras devant lui avec grâce. Ni même à vos amis, d'ailleurs. Je suis le maharadjah de Chambal, et vous êtes ici sur mon navire, *L'Amyia*, ce qui signifie *La délicieuse*.

— Tu parles d'un navire. C'est plutôt une épave, oui ! murmura Martigan, avant de recevoir un coup de coude de la part de Corsarez. Aïe ! Ben quoi ? C'est la vérité.

— Ne faites pas attention à lui, Votre Altesse, s'empressa d'ajouter Flibus, qui n'avait aucune envie de voir la colère d'un fantôme se manifester. Notre ami s'est probablement cogné la tête en tombant.

— Il n'y a pas de mal. Je reconnais que mon navire a quelque peu perdu de sa splendeur sous les effets du temps. Mais que voulez-vous ? Depuis que nous sommes devenus des fantômes, il nous a été très difficile, à mon équipage et moi, de veiller continuellement à son entretien. Cela est devenu très lassant, à la longue. Cela dit, j'y ai tout de même apporté quelques nouveaux aménagements... plus distrayants, dirons-nous. D'ailleurs, comment avez-vous trouvé mon train fantôme ? Il est de toute beauté, n'est-ce pas ?

— Absolument ! assura Flibus. Il s'agit d'une construction assez surprenante, qui ne manquera pas de tenir en haleine les visiteurs, il faut l'avouer. Vous avez fait preuve d'une grande imagination, Votre Altesse.

Le maharadjah resta à observer Flibus avant d'ajouter, visiblement satisfait :

— C'est fort aimable à vous, jeune homme. Je me demande toutefois si je ne devrais pas y ajouter quelques dénivellations afin d'accentuer ses effets...

— Point du tout, Votre Altesse! Votre construction est parfaite, et nos compagnons sont aussi de cet avis, souligna Flibus.

Tout le groupe confirma ses propos en hochant la tête.

— Dans ce cas, vous m'en voyez ravi, mes amis. Mon souhait était de vous donner une bonne impression en vous attirant sur mon bateau.

— Désolé, mais ce n'est pas vraiment le sentiment que j'ai eu! ne put s'empêcher de dire Martigan. Votre navire est dans un état de délabrement si avancé que nous avons failli y laisser nos vies plusieurs fois.

— Je comprends et j'en suis navré. Cependant, les petits incidents survenus sur le pont supérieur étaient involontaires. Je veux donc croire que votre destinée était de surmonter ces épreuves, afin que vous puissiez vous rendre jusqu'à moi.

— Nous rendre jusqu'à vous, mais dans quel but? demanda Flibus.

Le fantôme du maharadjah observa ses convives quelques instants sans dire un mot, puis il s'avança en flottant dans les airs et s'expliqua :

— Si je tenais tant à vous rencontrer, mes amis, c'est parce que je souhaiterais solliciter votre aide. Il y a fort longtemps, dans mon palais, en Inde, j'ai connu une femme d'une beauté remarquable. Dès que mes yeux se sont posés sur elle, j'ai su que nos deux vies seraient liées à tout jamais. Toutefois, certains de mes conseillers ont vu d'un mauvais œil cette union avec une domestique. J'étais, pour ma part, bien décidé à n'écouter que mon cœur. Malheureusement, lorsque j'ai demandé à revoir celle que j'avais choisie pour épouse, on m'a rapporté peu après qu'elle avait mystérieusement disparu. Ce jour-là, j'ai bien cru que mon palais venait de s'écrouler sur moi. J'ai envoyé des gardes aux quatre coins de mon royaume dans l'espoir qu'ils la retrouvent. Les semaines et les mois ont passé, et j'ai attendu en vain son retour. Je ne quittais même plus mes appartements, par crainte de ne pas être présent lorsqu'on la ramènerait. Rongé par le chagrin, je ne supportais plus d'être séparé d'elle, refusant de manger et pleurant sans relâche la disparition de ma bien-aimée. Jusqu'au jour où un phénomène étrange s'est produit. Des larmes en forme de perles se sont soudainement mises à couler de mes yeux. J'y ai vu un signe divin, et j'ai alors compris que, pour mériter l'amour de ma bien-aimée, je devais moi-même partir à sa recherche. Après avoir ramassé les perles, au nombre de vingt et une, j'ai ordonné à l'un de mes joailliers d'en faire un collier à deux rangées pour l'offrir à ma bien-aimée lorsque je la retrouverais.

— HÉ! Mais je la connais, cette histoire! s'écria tout à coup Mumbai. Du moins, cette partie-là… Ma mère nous l'a racontée, à ma sœur et moi, quand nous étions enfants. C'est la légende des *Larmes du maharadjah*.

— C'est loin d'être une légende, mon ami ! rétorqua le fantôme d'une voix autoritaire. Cette histoire est entièrement véridique, et je suis là pour en témoigner.

— Veuillez me pardonner, Votre Altesse, je ne voulais pas vous contredire. J'étais seulement surpris de réentendre cette vieille histoire et, qui plus est, de la bouche même du principal protagoniste.

— Soit, vous êtes tout excusé.

— Merci, Votre Altesse. Aussi, en quoi pouvons-nous vous aider ? demanda alors Flibus.

— Eh bien, si je vous ai fait venir sur mon navire, c'est pour vous demander de retrouver ce collier pour moi. Il m'a été dérobé peu de temps après avoir été conçu. Je l'ai fait chercher, lui aussi, mais en vain. Ne tenant toutefois pas à m'enfermer de nouveau dans le désespoir, j'ai finalement quitté mon palais pour partir à la recherche de ma bien-aimée, comme prévu. De nouvelles pistes laissaient à penser qu'elle pouvait avoir été retenue prisonnière sur un navire d'esclaves en partance pour la Perse. J'ai donc aussitôt pris la mer avec un équipage expérimenté, mais trois jours seulement après notre départ, nous avons été pris dans une forte tempête. Aucun de nous n'a survécu.

— Mais comment saurons-nous où chercher ce collier ? questionna encore Mumbai.

— Pour cela, il vous faudra au préalable retrouver mon palais. J'ai ouï dire qu'il pourrait avoir été caché tout près de là.

— Et où est-il situé, votre palais ?

— Ah, là, ce sera également à vous de le découvrir, souligna le fantôme. Si vous y parvenez, cela prouvera que vous possédez une grande intelligence susceptible de vous mener bien plus loin dans votre quête. Jusqu'à présent, tous les équipages à qui j'ai déjà lancé ce défi n'ont pas réussi à me rapporter le collier.

— Nous ne sommes donc pas les premiers ! s'étonna Corsarez.

— Eh bien, non !

— Bon, admettons que nous arrivions à vous ramener ce collier, supposa Flibus. Cela ne vous aidera pas pour autant à retrouver votre bien-aimée. Car, sauf votre respect, Votre Altesse, si l'on considère tout le temps que vous avez passé à la chercher, il y a probablement fort longtemps qu'elle n'est plus en vie.

Le fantôme baissa un instant son regard avant d'expliquer avec un air accablé :

— J'en suis bien conscient, mon ami. C'est pourquoi vous m'aiderez également à retrouver sa dépouille afin que je puisse lui remettre le collier en personne. Nous serons alors enfin réunis tous les deux pour l'éternité.

— Eh bien, on n'est pas près d'y parvenir, murmura Le Bolloch. Sans aucun indice pour nous dire où chercher ce palais, nos chances sont plutôt minces.

— Je n'ai jamais dit que je vous laisserais partir sans vous donner une piste, précisa le maharadjah. Pour trouver l'emplacement de mon palais, il faudra vous laisser guider par la constellation du Dragon.

— Parce que nous devrons aussi affronter un dragon ! s'écria Cenfort.

— Mais non, patate ! reprit aussitôt son acolyte. Le maharadjah ne parlait pas directement d'un dragon, mais de sa constellation.

— Sa constellation ? Ça veut dire quoi, ça, exactement ?

— Mais comment veux-tu que je le sache, enfin ? s'énerva Martigan. Cette constellation c'est peut-être le nom de la femme qui serait justement avec ce dragon…

— Tu ne confonds pas plutôt ce mot avec le prénom « Conception » ? répliqua Cenfort. Car ma sœur s'appelle justement Conception.

— Mais qu'est-ce que ta sœur vient faire dans cette histoire ? Bon, c'est vrai que des fois elle peut être un véritable dragon, celle-là. J'ai déjà eu le grand malheur de le constater. Mais de là à l'imaginer entichée d'un dragon, c'est un peu exagéré tout de même.

— Et alors, elle est libre de vivre avec qui elle veut !

— Je suis d'accord, là n'est pas la question, répondit Martigan. De toute façon...

— OH MAIS, VOUS ALLEZ ARRÊTER DE DIRE DES STUPIDITÉS TOUS LES DEUX ! s'impatienta Corsarez. C'est plus fort que vous, hein ? Vous ne ratez jamais une occasion de parler sans réfléchir. Pour votre gouverne, messieurs, les constellations font avant tout référence à l'alignement de certaines étoiles. Les astronomes leur ont donné des noms afin qu'on puisse les identifier, tout simplement.

Les deux acolytes se gardèrent de répondre à leur maître d'équipage. C'était bien la première fois qu'ils entendaient parler de constellation à propos des étoiles. Ils s'observèrent un instant d'un air bête, puis se forcèrent à ne plus faire de commentaires.

Flibus proposa finalement :

— Nous sommes prêts à vous aider, mais avant, vous devez libérer notre mascotte.

— Je suis navré, je ne le peux pas, répondit le fantôme. Si je la libère maintenant, rien ne me garantira que vous reviendrez. Le castor restera donc ici en attendant votre retour ! La seule faveur que je puisse vous accorder, c'est de veiller à ce qu'elle ne manque de rien. C'est à prendre ou à laisser !

Flibus réclama une pause et se tourna vers ses amis. Ils échangèrent à voix basse quelques instants. De toute évidence, ils n'avaient pas vraiment le choix. Aussi, pour ne pas laisser son amie seule dans ce bateau hanté, Ratasha décida de rester avec elle. Personne ne s'y opposa.

— Nous acceptons vos conditions, rapporta finalement le quartier-maître. Nous reviendrons avec le collier et nous vous aiderons à retrouver votre bien-aimée.

— Merveilleux ! se réjouit le maharadjah.

— Mais avant de partir, Votre Altesse, nous aurions une dernière question à vous poser.

— Je vous en prie.

— Pourquoi retenez-vous aussi ces squelettes prisonniers ?

— C'est parce qu'ils se sont montrés trop gourmands. Ils ont voulu échanger votre castor contre une part de mon trésor. C'était inacceptable ! Comme ils m'ont menacé, je n'ai eu d'autre choix que de les faire enfermer. Je n'ai pas encore décidé du sort que je leur réserve, mais ils méritent un châtiment exemplaire.

— À la bonne heure ! s'écria Le Bolloch. Nous serons au moins débarrassés d'eux, une fois pour toutes !

— Ne vous réjouissez pas trop vite, messieurs ! rétorqua cependant le capitaine Dryboone depuis sa cellule. Nous n'en avons pas fini avec vous. Vous ne perdez rien pour attendre.

En entendant cette provocation, Le Bolloch brandit son épée avec rage, mais Flibus chercha aussitôt à le calmer en posant une main sur son épaule. Après quoi les marins demandèrent à quitter les lieux pour regagner leur propre navire.

Aussitôt, le maharadjah fit appel à son équipage. La brusque apparition de celui-ci raviva un instant les craintes des marins de *La Fleur de lys*, mais ces nouveaux fantômes ne se montrèrent pas menaçants. Au signal de leur chef, qui tendit une main autoritaire devant lui, ils se précipitèrent devant les sabords et les ouvrirent dans un même geste. À l'exception des deux rongeurs, Flibus et ses amis étaient enfin libres de partir. Avant qu'ils ne s'en aillent, Castorpille leur révéla l'endroit où elle avait caché les grimoires, tout en demandant à ses camarades de présenter de sa part des excuses aux deux savants pour son geste.

LA CONSTELLATION
DU DRAGON

De retour sur *La Fleur de lys*, les explorateurs du bateau hanté ne manquèrent pas de raconter leur petite mésaventure à leurs compagnons. Ces derniers restèrent suspendus à leurs lèvres, jusqu'à ce que Flibus leur annonce l'engagement qu'ils avaient pris avec le fantôme du maharadjah. Sur le coup, plusieurs matelots s'indignèrent de ne pas avoir été consultés au préalable, mais ils réalisèrent bien vite que leurs amis n'avaient pas vraiment eu le choix. L'appui total du capitaine face à cette décision courageuse et pleine de bon sens mit aussitôt fin à la discorde. Flibus s'adressa ensuite aux deux savants. Pour commencer, il leur révéla l'endroit où

Castorpille avait caché les grimoires, puis il descendit avec eux dans les cales où ils trouvèrent les précieux livres soigneusement glissés entre deux voiles de rechange. Une fois les grimoires rangés à leur place, le jeune quartier-maître parla alors de l'indice fourni par le fantôme du maharadjah.

— Oui, nous connaissons parfaitement la constellation du Dragon, répondit maître Chow. Mais si elle seule peut nous aider à retrouver le palais de ce maharadjah, nous devons d'abord sortir de cette masse nuageuse et attendre la nuit afin de pouvoir l'observer.

Le savant chinois avait à peine fait cette remarque que le bateau hanté se détacha soudainement de la coque de *La Fleur de lys*. Tous ceux qui étaient présents sur le pont supérieur virent alors distinctement un équipage de fantômes manœuvrer le navire sans prononcer le moindre mot. Flibus et ses amis restèrent stupéfaits de les voir se déplacer et grimper aux gréements comme si de rien n'était. Lorsque le bateau hanté disparut dans le brouillard, la crainte de ne plus revoir Castorpille et Ratasha envahit brusquement les marins. Un sentiment que partageaient la colonie de rats et son patriarche. Ces derniers ressentaient bien sûr une grande fierté face au geste solidaire de leur jeune congénère, mais ils n'étaient pas pour autant rassurés sur son sort en cas d'échec de leur quête.

Sans attendre, le capitaine Kutter donna l'ordre de lever l'ancre. Personne ne traîna pour regagner son poste et, bientôt, *La Fleur de lys* put enfin sortir du gros nuage blanc. Le commandant anglais s'assura ensuite qu'ils étaient suffisamment éloignés de leur emplacement initial pour mettre à nouveau le navire à l'arrêt. Le ciel était bien dégagé et annonçait une belle nuit étoilée. Les deux savants furent les premiers à s'en réjouir et demandèrent l'aide de l'équipage pour installer leur imposant télescope sur le mât de misaine. Les volontaires se présentèrent sans perdre de temps, conscients de l'importance de leur mission. Ils suivirent à la lettre toutes les directives,

sans rechigner. En moins d'une heure, le télescope fut monté et fixé sur la dernière vergue. Il
fallut toutefois patienter jusqu'aux environs de
vingt-trois heures pour bénéficier des meilleures conditions d'observation.

Suspendus dans les airs, les deux savants
s'occupèrent des réglages, puis ils invitèrent
Flibus à les rejoindre afin de ne pas avoir à
crier depuis les hauteurs.

Assis sur un siège de corde, le quartier-
maître de *La Fleur de lys* fut ébloui par la
beauté de toutes les étoiles qui parsemaient
le ciel. Bien sûr, il avait déjà eu l'occasion
de les contempler, plus jeune ou durant ses
nombreux séjours en mer, mais c'était la
première fois qu'il prenait vraiment le temps
de les observer avec la plus grande attention.
Cela dit, même s'il utilisait principalement un
compas et une carte pour naviguer, il savait
aussi repérer les quelques étoiles dont les
marins se servaient autrefois pour s'orienter.

Voyant son air émerveillé, maître Chow lui
souffla à l'oreille:

— C'est magnifique, n'est-ce pas ?

— Absolument. Peut-on voir la constellation du Dragon, de notre position ?

— Oui, regardez, elle est juste ici, indiqua le savant chinois en pointant son doigt vers le ciel. Elle se compose de toute une série d'étoiles, alignées de gauche à droite, avant de redescendre vers la Terre en serpentant, pour ensuite remonter encore vers la droite et former, au final, ce qu'on appelle communément la tête du dragon. Vous la voyez ?

Flibus fronça les sourcils.

— Je suis navré, mais je n'arrive pas à distinguer de tête de dragon, ni même son corps, d'ailleurs.

— En fait, la constellation du Dragon ressemble davantage à un corps de serpent, précisa maître Fujisan. Pour bien le voir, il faut que vous traciez une ligne imaginaire entre chacune des étoiles.

— Mon confrère a parfaitement raison, enchaîna maître Chow. Mais pour vous faciliter la tâche, nous allons déjà vous aider à bien situer cette constellation. Vous voyez cette série d'étoiles assez brillantes qui forment une sorte de cerf-volant si on les relie les unes aux autres ?

Le savant chinois pointa de nouveau vers le ciel, tout en s'approchant le plus possible de Flibus.

— Ah, oui ! Je vois bien la forme d'un cerf-volant.

— Parfait. Eh bien, cette constellation, que l'on appelle la Petite Ourse, se situe légèrement à gauche de la constellation du Dragon.

Maître Fujisan crut bon d'ajouter :

— C'est du moins la position dans laquelle nous voyons ces constellations, ici, depuis l'océan Indien, et au-dessus de l'équateur.

— Voyons, maître Fujisan, ce n'était pas vraiment utile de mentionner ce détail. Vous risquez de perturber notre jeune ami qui a déjà bien du mal à se repérer.

— Je suis navré, cher confrère, mais j'ai estimé qu'il était plus pertinent pour lui de le savoir maintenant ! rétorqua le savant japonais

sur un ton plus sec. Je suis tout aussi quali-
fié que vous dans le domaine de l'astronomie
pour juger de cela, il me semble…

— Mais je n'ai jamais prétendu le contraire.

— Certes, mais votre remarque tendait
tout de même à le laisser entendre…

— Du tout ! contesta maître Chow en
élevant la voix.

— Ah, je vous en prie ! Ne soyez pas de
mauvaise foi !

— Alors là, c'est la meilleure ! Je fais une
simple remarque, et vous le prenez aussitôt
de haut.

Maître Chow chercha à se rapprocher
de son confrère, mais en voulant écarter les
cordes latérales de son siège, il tira brusquement sur ses très longues moustaches fines.
Sous le coup de la douleur, il hurla de plus
belle en faisant face à son confrère qui crut
à une tentative d'intimidation. La situation
était sur le point de s'envenimer, quand Flibus
coupa court à tout débordement :

— Messieurs, voyons ! Ce n'est pas le moment. Castorpille et Ratasha comptent sur nous pour les libérer.

— Elles mériteraient plutôt de rester sur ce bateau hanté ! répliqua alors maître Chow sans baisser la voix. On ne s'en porterait pas plus mal.

— Vous ne pensez pas ce que vous dites !

— Et comment ! Bien sûr que je le pense ! Elles font toutes sortes de bêtises sur ce bateau. Quand elles sont ensemble, ce sont de vraies pestes, ces deux-là.

— Voyons, calmez-vous…

— Non, je ne me calmerai pas ! De plus, arrêtez de me reprendre comme si j'étais un enfant. Vous voulez la voir, cette constellation, oui ou non ?

— Oui, répondit simplement Flibus, quelque peu déstabilisé par la colère du savant.

Sans plus attendre, maître Chow se positionna et pointa l'imposant télescope directement sur la constellation concernée. Il tira

ensuite vivement sur les cordages qui empê-
chaient Flibus de se placer à son tour devant
l'objectif.

— Et maintenant, vous la voyez, cette tête
de dragon ?

Un long silence s'installa soudainement.
Flibus ferma son œil gauche pour mieux se
concentrer sur le droit, puis il finit par confier
aux deux savants :

— Je suis navré, je ne vois toujours rien…

— Mais vous le faites exprès, ce n'est pas
possible ! pesta maître Chow en poussant son
jeune ami pour reprendre sa place.

À peine eut-il approché son œil de l'objectif
qu'il s'écria :

— Par la Grande Muraille, je ne la vois
plus, moi non plus !

— C'est normal, murmura maître Fujisan
avec un air bougon.

— Que dites-vous ? demanda son confrère,
surpris.

— Notre bateau est trop instable à cause des remous, ce qui a pour conséquence de dévier la lunette. Mais, si je ne m'abuse, il me semble vous l'avoir déjà signalé lorsque vous m'avez fait part du projet d'installer un télescope sur ce navire.

Le savant chinois ne releva pas la remarque, même si ce n'était pas l'envie qui lui manquait de répondre avec ferveur. Il réfléchit plutôt, puis tira sur les cordes latérales sans même avertir ses amis. Ces derniers le virent descendre à toute vitesse, puis prendre la direction du gaillard d'avant. Sous le regard interrogateur du capitaine et de l'équipage, il réapparut sur le pont quelques instants plus tard avec l'un des grimoires entre ses mains.

— Alors, vous descendez ou je dois aussi aller vous chercher ? cria-t-il.

Sans chercher à comprendre, Flibus et maître Fujisan rejoignirent leur ami qui les invita aussitôt à monter dans la barque suspendue à la coque du bateau. Alors, maître

Chow tendit son grimoire en direction de *La Fleur de lys*, tout en s'exclamant :

— *IMMOBILITAS !*

À cet instant, le vieux livre s'ouvrit et envoya un rayon lumineux qui frappa le navire. Celui-ci s'immobilisa instantanément, ainsi que tous les marins restés à son bord.

— Mais qu'avez-vous fait à nos amis ? s'inquiéta Flibus.

— Ils vont bien, rassurez-vous. Je les ai juste immobilisés avec le bateau. Ainsi, nous allons pouvoir observer le ciel dans de meilleures conditions.

Stupéfaits, mais non moins ravis, Flibus et maître Fujisan se laissèrent finalement prendre au jeu. Ils regagnèrent le bateau et s'amusèrent en passant devant leurs compagnons aussi figés que des statues. Ils touchèrent même l'un des marins, et agitèrent leurs mains devant ses yeux sans y noter la moindre réaction.

— Bon, vous venez ! les pressa maître Chow. Castorpille et Ratasha comptent sur nous pour les libérer, rappela-t-il d'un air sarcastique.

À nouveau installé devant le télescope aux côtés de ses deux amis, Flibus put enfin repérer la constellation du Dragon. Cependant, ni les savants ni lui ne comprenaient en quoi elle pourrait les aider à trouver le palais du maharadjah. Ils observèrent en détail sa position dans le ciel, mais rien ne semblait indiquer une direction précise. Maître Chow traça alors la constellation sur un bout de papier, tandis que son confrère tentait de relever des indices dans le nom des principales étoiles qui la composaient. Malheureusement, ils n'aboutirent sur aucune piste là non plus.

L'heure tardive avançant, maître Fujisan conclut, gagné par la fatigue :

— Le fantôme de ce maharadjah s'est de toute évidence joué de nous.

— Non, je ne crois pas, certifia Flibus malgré sa déception. Il m'a semblé sincère.

De plus, ce ne serait pas dans son intérêt de nous voir échouer alors qu'il attend de retrouver sa bien-aimée depuis si longtemps.

— C'est fort possible, enchaîna maître Chow, mais il s'y prend mal, cependant. Il pourrait la retrouver plus rapidement en nous disant précisément où se situe son palais. Si nous connaissions au moins le nom de ce maharadjah, il nous serait alors possible de retrouver ce bâtiment en consultant des archives, une fois que nous serions arrivés en Inde.

— Je crois bien me souvenir qu'il a dit s'appeler le maharadjah de Chandal… ou quelque chose du genre…

— Chambal plutôt, intervint maître Fujisan en corrigeant Flibus.

— Oui, c'est bien ça! Le maharadjah de Chambal.

— C'est aussi le nom d'une rivière, fit remarquer le savant japonais. C'est un affluent de la Yamunâ, qui est aussi un affluent du Gange. Ces deux rivières font partie des sept rivières sacrées de l'Inde.

— Attendez ! Mais elle est peut-être là, la clef de l'énigme ! s'écria tout à coup maître Chow en brandissant son croquis. Regardez la forme courbe de la constellation ! Ne trouvez-vous pas qu'elle ressemble aussi au parcours sinueux d'une rivière ?

Flibus et maître Fujisan se rapprochèrent en manœuvrant leurs cordes.

— Ainsi, la constellation représenterait le cours de la rivière Chambal, selon vous ? voulut s'assurer le jeune quartier-maître.

— Je ne vois pas d'autre explication.

— Et quelle longueur fait-elle, cette rivière ?

— Oh, au moins mille kilomètres, répondit maître Fujisan.

— Ciel ! Mais il nous faudra une éternité pour trouver ce palais.

— Pas forcément, reprit maître Chow en montrant du doigt son croquis. Si nous survolons la rivière grâce au sortilège de lévitation, quelques heures tout au plus nous suffiront pour la parcourir dans son ensemble. Je crois même qu'en consultant au préalable une carte de l'Inde, et en la comparant au tracé de la constellation du Dragon, nous pourrions déterminer la position exacte du palais qui, selon moi, devrait se trouver à cet endroit précis.

— Sur la tête du dragon ! releva Flibus.

— Absolument. Regardez comment ces quatre étoiles, qui représentent la tête du dragon, forment une sorte de quadrillage, tout comme une croix indiquerait l'emplacement d'un trésor sur une carte.

Ravis de cette trouvaille, Flibus et les deux savants se laissèrent glisser jusqu'au pont sans perdre de temps. Maître Chow trouva rapidement une carte de l'Inde parmi les nombreux livres remplissant la cabine qu'il partageait avec son confrère. En passant devant sa nièce immobilisée, il se montra à peine troublé de la découvrir les bras en l'air et la bouche ouverte dans un bâillement. Il sourit simplement et consulta plutôt la carte de l'Inde, en attendant de voir disparaître les effets du sortilège sur ses compagnons.

L'ÉVASION

À l'aube, *La Fleur de lys* s'éleva dans les airs grâce au sortilège de lévitation et prit la direction de l'Inde, poussée par une belle brise. Tout en survolant le nuage, qui enveloppait toujours le navire du maharadjah, Flibus et ses amis eurent une pensée émue pour Castorpille et Ratasha. Seule la Tête de mort resta insensible, revêtue de sa nouvelle cuirasse en bois :

« Bon débarras ! Ces deux rongeurs étaient un véritable paquet de troubles. J'espère bien que le capitaine n'hésitera pas à les abandonner à leur sort après avoir retrouvé le fameux collier. De plus, ce serait vraiment stupide de le rapporter au maharadjah. Il se prend pour qui, ce fantôme ? Il ne manque pas de toupet de nous envoyer chercher son collier. Il n'a qu'à aller le chercher lui-même s'il y tient tant que ça ! C'est soi-disant avec ses propres larmes que les perles ont été conçues, pas avec les nôtres. Si au moins il nous avait proposé une récompense en échange, je ne dis pas non, mais il ne nous a rien offert, ce radin. Voilà pourquoi je revendique le droit de garder le collier pour nous, si on le trouve. Et si le capitaine et ses amis possédaient ne serait-ce qu'un soupçon de bon sens, ils me l'offriraient directement. Avec tout ce qu'ils me font vivre sur leur rafiot, je crois mériter un petit cadeau, il me semble ! Cependant, j'ai bien peur que l'idée ne leur traverse jamais l'esprit. Il faudrait simplement que j'arrive à la leur insuffler. Mais comment ? Telle est la question. »

Sur ces réflexions, la Tête de mort regagna son repaire en se déplaçant difficilement à cause de son inconfortable cuirasse. Bien décidée à obtenir le collier, elle entreprit d'écrire une lettre anonyme pour demander au capitaine de lui faire don du bijou, pour bons et loyaux services.

Pendant ce temps, sur le bateau hanté, Castorpille et Ratasha discutaient sans cesse pour ne pas trop penser à l'endroit où elles étaient enfermées. Depuis le départ de leurs amis, un fantôme pirate venait régulièrement leur jeter de la nourriture à travers la grille au-dessus d'elles, mais il ne leur adressait jamais la parole. Au moins, il les laissait tranquilles en ne s'approchant pas davantage. Par contre, elles étaient bien plus dérangées par la présence des squelettes retenus dans la cellule située au niveau supérieur. Elles les entendaient parler et même rire par moments, ce qui était loin de les rassurer. Ils ne semblaient pas du tout se comporter comme des prisonniers qui attendaient leur libération avec inquiétude. Pourtant, le maharadjah avait été clair à ce sujet en affirmant leur réserver un châtiment exemplaire.

Les deux rongeurs arrêtèrent de chuchoter en entendant des chaînes tomber lourdement sur le plancher.

— Ah ! Enfin, ce n'est pas trop tôt ! s'écria le chef des squelettes en retirant son bras de l'anneau de fer qui le retenait par le poignet.

— J'étais sûr que vous réussiriez, capitaine ! se réjouit le dénommé Wolff. Il faut dire aussi que vous avez les poignets plus gros que les nôtres.

— Normal, c'est notre chef, souligna Atlon, avec un air bête.

— Cela n'a rien à voir avec la grosseur des poignets, fit remarquer Brains. Notre premier capitaine était bien plus frêle, mais cela ne l'a pas empêché de tous nous enterrer avec son trésor.

— Mais vous allez vous taire ! s'énerva le chef Dryboone. Inutile de revenir là-dessus. C'est du passé. Votre capitaine, c'est moi, maintenant. Bon, alors, avez-vous tous retiré vos chaînes ?

Tous les squelettes répondirent en chœur par l'affirmative.

— On va pouvoir filer d'ici alors ! s'exclama Pumpler, visiblement ravi.

— Et comment ! Tu ne comptais quand même pas croupir dans cette épave avec ce tortionnaire de maharadjah ?

— Surtout pas, capitaine !

— Dans ce cas, dépêchons-nous de sortir de cette cellule avant que ces maudits gardes reviennent !

Le chef squelette écarta sur-le-champ l'un de ses matelots pour passer devant. Il s'approcha ensuite de la grille et chercha à se faufiler entre les barreaux. Son crâne et ses épaules passèrent sans problème, mais il resta coincé au niveau de son bassin.

— Attendez, capitaine, je vais vous aider ! se proposa aussitôt Atlon.

Avec le plus grand dévouement, le squelette poussa de toutes ses forces et dégagea rapidement son chef, qui le salua légèrement de la main pour le remercier.

Les autres matelots lui emboîtèrent le pas en se faufilant entre les barreaux avec plus ou moins de difficulté. Il restait seulement un squelette au fond de la cellule.

— Alors, tu viens ? lui demanda prestement le capitaine.

— Oui, oui, ça ne sera plus très long. C'est juste que je n'arrive plus à remettre correctement mon bras depuis que je l'ai arraché pour me défaire de mes chaînes.

— Ce n'est pas grave, tu n'as qu'à nous le lancer. Tu le récupéreras en sortant. On n'a pas une minute à perdre.

— Mais vous me le rendrez, hein ?

Le capitaine Dryboone hésita à répondre tellement cela semblait évident. De plus en plus agacé, il assura à son matelot :

— Mais oui, nigaud, on te le rendra, ton bras. Allez, lance-le-nous !

Cette fois-ci, le squelette s'exécuta. Puis, tandis qu'il s'avançait à son tour vers la grille, sa jambe droite se décrocha et le fit tomber.

— Oh, mais ne peux-tu pas regarder où tu mets les pieds, gros maladroit ? Tu vas nous faire repérer !

— C'est pas de ma faute, capitaine ! Ce sont mes jambes qui me font défaut. Ça m'arrive chaque fois que je reste trop longtemps sans bouger. Elles se détachent sans arrêt quand j'essaie ensuite de remarcher.

Allongé sur le sol, le squelette tenta de rattacher sa jambe à son bassin, mais le capitaine l'arrêta dans son élan :

— Ce serait trop long. Tu n'as qu'à nous la lancer, elle aussi.

Le malheureux matelot obéit encore, puis il s'avança en rampant, avec un bras et une jambe en moins. Enfin arrivé au niveau de la grille, il chercha à passer entre les barreaux, comme tous les autres, mais son crâne resta coincé.

— Je suis navré, mais on dirait que ma tête est trop grosse, fit-il remarquer, devant l'air désespéré de son capitaine.

La situation devenant vraiment urgente, plusieurs squelettes se précipitèrent pour dégager leur compagnon. Ils tirèrent cependant si fort que son crâne se détacha de sa colonne vertébrale et leur resta dans les mains.

— Ah, c'est malin ! pesta le capitaine. Le voilà presque entièrement démembré, à présent.

— Au moins, maintenant, on est sûrs que la théorie d'Atlon ne tient pas debout, souligna Pumpler. Le crâne de Wolff est certes plus gros que le nôtre, mais cela ne fait pas pour autant de lui un chef. N'est-ce pas, capitaine ?

Dryboone ne chercha même pas à relever la remarque. Fatigué par la stupidité de ses hommes, il se pencha et finit de détacher les membres restants du dénommé Wolff. Il les distribua ensuite à ceux qui avaient les mains libres en expliquant :

— Ainsi, il ne nous fera plus perdre de temps en traînant derrière nous. Bon, filons d'ici !

— Eh, mais j'espère que vous n'oublierez pas de me reconstituer une fois dehors ! voulut se rassurer le squelette démembré.

Personne ne répondit. Le capitaine Dryboone et les autres étaient déjà en train de chercher une issue. Ils s'approchèrent rapidement des sabords et ils se servirent des os providentiels de leur camarade comme d'un levier pour les ouvrir.

Ayant attentivement écouté les squelettes se chamailler pendant leur évasion, Castorpille et Ratasha entendirent aussi leurs plongeons dans la mer, à l'opposé de la coque où était amarrée *La Fleur de lys*, soit hors du champ de vision de leurs amis. Elles surent donc qu'elles étaient à présent les seules prisonnières du maharadjah et de son équipage de fantômes.

• • •

Volant à une altitude de sept mille pieds, *La Fleur de lys* longea la côte est de l'Inde puis, après avoir atteint le golfe du Bengale, elle remonta le long du Gange.

Le capitaine Kutter et ses hommes furent éblouis par la grande beauté du fleuve. Depuis les hauteurs, ils pouvaient distinguer les nombreux bras du cours d'eau se jeter dans l'océan Indien. Le mélange d'eau douce et d'eau salée créait une nette couleur brunâtre qui leur montrait clairement la force du courant. Ils se rendirent alors compte que la voie des airs offrait un avantage indéniable. Non seulement elle leur évitait d'être repérés par les garde-côtes, mais dans le cas présent, elle les dispensait de remonter un fleuve aussi imposant que dangereux. Toute la région était soumise aux marées et aux moussons maritimes, ce qui rendait la navigation extrêmement difficile.

Sur le pont de *La Fleur de lys*, le silence dominait tant les marins étaient émerveillés par les paysages qui s'étendaient sous leurs yeux, en contrebas. Seuls quelques-uns, dont Flibus et les deux savants, restaient concentrés sur la route à suivre. Ils comparaient souvent le parcours sinueux du Gange avec celui de leur carte, afin d'avertir le timonier lorsqu'ils approcheraient de la Yamunâ, qui devait ensuite les mener à la rivière Chambal. Le bateau garda la même altitude durant tout le trajet, jusqu'à ce que maître Fujisan reconnaisse enfin le tracé de cette rivière associée à la constellation du Dragon.

— Vous aviez raison, cher ami ! confia-t-il en se tournant vers maître Chow qui tenait son grimoire entre ses mains. L'indice du maharadjah était bien de suivre le Chambal.

Les deux savants se relayaient régulièrement pour garder le livre ouvert en permanence et préserver ainsi la même altitude.

— Il ne nous reste donc plus qu'à espérer que le Chambal nous conduira au palais du maharadjah.

— Voulez-vous que je vous remplace encore ? demanda maître Fujisan.

— Ce n'est pas de refus, cher ami. Mes bras commencent à fatiguer. En revanche, je vous suggérerais cette fois-ci de maintenir le grimoire moins ouvert, afin de réduire progressivement notre altitude. En naviguant trop haut, nous pourrions ne pas voir le palais, surtout s'il est en ruines. La végétation environnante pourrait le masquer depuis notre position.

Le savant japonais approuva et prit la place de son confrère qui massa aussitôt ses bras pour soulager ses crampes. Maître Chow rejoignit ensuite Flibus près de la rambarde pour suivre des yeux le parcours de la rivière. Peu après, tous deux s'écrièrent d'une seule et même voix :

— Le voilà !

— C'est bien lui, enchaîna le savant chinois en regardant le croquis qu'il avait reproduit sur son papier. Nous avons atteint l'extrémité du tracé de la constellation. Or ce palais, en contrebas, se trouve précisément dans le péri-mètre de la tête du dragon.

— Vu d'ici, il ne semble pas du tout en ruines, par contre ! fit remarquer Flibus.

— En effet. Dans ce cas, il faudrait que nous puissions trouver un endroit où nous poser sans attirer l'attention des habitants du palais. Nous serions trop visibles en descen-dant directement sur la rivière qui, de plus, n'est pas navigable, d'après mes recherches.

— Regardez, maître Chow, il y a un lac un peu plus au nord. C'est là que nous jetterons l'ancre !

— Bonne idée, mais je suggère tout de même de nous rendre invisibles. Je vais aller de ce pas récupérer l'autre grimoire pour libérer un charme d'invisibilité autour de notre navire.

Flibus approuva et regagna le poste de commandement. Au passage, il envoya Corsarez avertir le capitaine Kutter qu'ils approchaient du but.

LE MONSTRE DU LAC

La Fleur de lys se posa sans difficulté sur le lac aux eaux calmes. Une dense végétation s'étendait de part et d'autre, laissant à peine deviner au loin les hautes tours blanches du palais de Chambal.

La Tête de mort se réjouit de cette halte providentielle et sortit son panier pour étendre ses précieux foulards.

« Eh bien, ce n'est pas trop tôt. En altitude, avec le vent fort, tout mon linge se serait envolé, c'est certain. »

Sur le pont, plusieurs pirates s'imaginaient déjà prendre un repos bien mérité en se baignant dans le lac, mais le capitaine s'opposa à tout quartier libre.

— Ce palais est une véritable œuvre d'art! s'émerveilla-t-il en l'observant avec sa longue-vue.

Mumbai ajouta, l'œil brillant de convoitise:

— Un palais aussi somptueux doit renfermer de grandes richesses.

Le matelot indien ricana de son propre commentaire en partageant un clin d'œil avec son ami Yasar.

— En tout cas, ce lac ne semble pas du tout fréquenté! nota Flibus en observant les environs. C'est assez étonnant avec un palais à proximité. Un plan d'eau pareil doit sûrement regorger de poissons, et nous aurions dû logiquement y voir de nombreux pêcheurs.

Le jeune quartier-maître se sentait certes à l'abri grâce au sortilège d'invisibilité, mais un malaise demeurait en lui. Il n'arrivait pas à comprendre pourquoi cet endroit était si tranquille. Avait-il passé trop de temps en mer pour apprécier les eaux calmes d'un lac? Agacé par cette étrange impression, il chassa finalement ces pensées et se concentra plutôt sur le somptueux palais de Chambal.

— Si nous n'avions pas été invisibles, nous aurions probablement eu de la visite ! déclara le capitaine, la longue-vue toujours pointée devant lui. J'aperçois des gardes un peu partout sur les tours du palais.

— Le nouveau maharadjah qui habite là tient certainement à s'assurer que tous ses biens soient en sécurité, enchaîna Mumbai.

— Si le collier que nous recherchons s'y trouve aussi, ce ne sera pas évident de le récupérer, fit remarquer Corsarez.

En entendant ces mots, plusieurs marins murmurèrent entre eux, visiblement inquiets quant à la suite des événements.

— Alors, qu'est-ce qu'on fait ? s'impatienta Mumbai, qui eut tout à coup l'impression de sentir une montagne de richesses lui passer entre les doigts.

— Ne prenons pas de décision trop hâtive, souffla le capitaine en grattant sa barbe. Rien ne nous dit que le collier est dans ce palais.

En tout cas, je ne me risquerai pas à envoyer mes hommes affronter une armée de gardes sans être sûr d'y trouver le joyau.

— Il y a peut-être un moyen de le savoir! s'exclama soudainement Flibus.

Alors que tous se tournaient vers le quartier-maître, un foulard à l'effigie de la Tête de mort tomba sur les genoux du capitaine. Ce dernier le récupéra avant de regarder en l'air. Il ne vit cependant aucun matelot suspendu aux grée-ments et qui aurait pu perdre son foulard lors de son ascension. À peine intrigué, il repoussa machinalement le foulard, tout en question-nant son second:

— Vous disiez?

— Regardez sur la rive, à tribord! Il y a un vieil homme qui remplit d'eau des outres. Nous pourrions commencer par nous rensei-gner auprès de lui. Il sait peut-être quelque chose au sujet du collier.

— Bonne idée! approuva le capitaine en repérant le paysan qui travaillait dur sous un soleil implacable. Allez le voir, mais prenez quelques hommes avec vous. On ne sait jamais.

— Personnellement, je ne vois pas trop ce qu'il pourrait nous dire, contesta Mumbai. Il y a fort à parier qu'il ne fréquente pas les gens du palais. Ils sont loin de partager le même monde. Comment voulez-vous alors qu'un simple paysan sache quoi que ce soit sur ce collier ?

— Je n'en serais pas aussi sûr à ta place ! rétorqua Corsarez. Ne te fie surtout pas aux apparences, car tu serais surpris d'entendre tout ce que des paysans peuvent nous apprendre. Leur corps est peut-être meurtri par le travail, mais ils ne sont ni bêtes ni sourds.

— Il a raison, appuya Flibus en fixant Mumbai droit dans les yeux. Et c'est toi qui nous serviras d'interprète.

— Moi, un interprète ?

— Allons, ne fais pas la mauvaise tête, Mumbai ! Si, grâce à cet homme, nous parvenons à récupérer ce collier, tu auras une grande part de mérite dans notre succès.

— Hum... Une grande part, vraiment ? souffla le marin indien, tout en caressant son menton.

Son air intéressé provoqua des éclats de rire autour de lui et cette bonne humeur ambiante eut raison de ses résistances. Plutôt flatté, il accepta donc de servir d'interprète, en se gardant cependant de révéler à ses compagnons que son père avait été, lui aussi, un paysan. Il avait travaillé dur toute sa vie et s'était abîmé le dos en portant des charges trop lourdes. Il s'était dévoué corps et âme pour subvenir aux besoins de sa famille et pour honorer des impôts toujours plus élevés année après année. Toutefois, Mumbai, lui, s'était refusé à connaître la même existence misérable. Il était donc parti à la première occasion et avait réussi à se faire engager comme mousse sur un navire à destination de l'Angleterre. Il n'était plus revenu sur sa terre natale par la suite. Depuis la mort de son père, en fait. Son frère aîné avait repris la terre familiale, comme convenu, donc il n'avait pas vraiment de regrets.

Assis dans la barque avec ses compagnons, Mumbai se laissa encore entraîner par ses souvenirs. Tout en ramant, il se rappela tout à coup le visage de sa mère qui n'avait pas cherché à l'empêcher de partir alors qu'elle avait probablement besoin de son aide. En repensant à elle, il ressentit soudain une forte douleur et il se réjouit d'atteindre bientôt la berge.

Toujours là, le paysan observa les marins en train d'amarrer la barque. Son visage était ridé, et son dos courbé. Cependant, il n'y avait aucune animosité dans son regard allongé et pénétrant. Arrivé devant lui, Flibus le salua d'un mouvement de tête, un peu mal à l'aise de ne pouvoir s'exprimer directement dans sa langue. Il était bien heureux d'avoir Mumbai à ses côtés. Ce dernier s'enquit aussitôt :

— Alors, est-ce que je lui demande si ce palais renferme un trésor ?

— Contente-toi de lui poser les questions dont nous avons convenu, le reprit amicalement Flibus.

— D'accord, d'accord ! soupira le marin indien, en affichant un large sourire.

Mumbai se tourna alors vers le vieil homme et dialogua longuement avec lui. Une étrange complicité sembla les animer tout à coup.

— Il connaît l'histoire des *Larmes du maharadjah*, confirma bientôt Mumbai. Cependant, il dit que c'est une légende et que nous ne devrions pas perdre notre temps avec ce genre d'histoire.

— Il est en droit de le penser, admit Flibus, mais demande-lui s'il sait si cette légende mentionne un endroit où le collier pourrait être caché.

Mumbai dialogua encore avec le paysan, avant de rapporter :

— Il y a plusieurs histoires qui évoquent le collier. L'une d'entre elles raconte que ses perles magiques se seraient évaporées durant une grande sécheresse et que depuis, lorsqu'il pleut, il arriverait que l'une d'elles tombe du ciel pour récompenser celui ou celle que les divinités considèrent comme juste. Certains habitants de la région prétendent avoir déjà trouvé des diamants en forme de larmes.

— Hum, c'est assez difficile à croire ! commenta Corsarez.

— Ce vieil homme n'y croit pas non plus, m'a-t-il dit. Depuis de longues années, il a eu beau regarder partout autour de lui, les jours de pluie, jamais il n'a vu de perles tomber à ses pieds. Peut-être que les dieux ne l'ont pas trouvé juste, a-t-il plaisanté.

Le paysan continua à parler. Mumbai hocha la tête à plusieurs reprises :

— Une autre légende revient souvent. Très souvent, même. Elle raconte que les fameuses « larmes du maharadjah » seraient cachées quelque part dans ce lac.

— Vraiment ? s'écria Corsarez, en observant la surface de l'eau si lisse. Voilà qui nous éviterait d'entrer dans le palais.

— Et comment ferait-on pour localiser l'endroit exact ? enchaîna Flibus.

— Apparemment, il y aurait une grotte sous-marine au fond du lac, précisa Mumbai. C'est là que se trouverait le fameux collier, et le trésor accumulé par ceux qui l'ont volé.

Profitant de la traduction, le paysan but un peu de l'eau de son outre, qu'il proposa aussitôt de partager avec les étrangers. Flibus et ses amis acceptèrent bien volontiers, pour ne pas froisser le vieil homme, puis ils le laissèrent poursuivre. Mumbai reprit sa traduction peu après :

— Il dit que personne n'a jamais trouvé la grotte.

— C'est parce qu'elle n'existe tout simplement pas ! certifia Porouc, tout en trempant ses pieds au bord du lac pour se rafraîchir davantage.

Le cordier éprouva aussitôt une sensation de bien-être qui le fit sourire bêtement. Puisqu'il était là, sous un soleil implacable, autant profiter de cet instant. Il était cependant loin de s'attendre aux nouvelles révélations du paysan.

— Notre ami dit aussi que ce lac est habité par un redoutable crocodile, l'avertit Mumbai.

— UN QUOI ? s'écria Porouc, en s'étouffant presque et en s'écartant aussitôt de la rive du lac.

Le vieil homme reprit ses explications en écartant largement ses bras devant lui. Mumbai traduisit aussitôt :

— Les habitants de la région racontent que la grotte où se trouve le collier est aussi le repaire de ce crocodile qui mesure plus de dix mètres de long !

— PLUS DE DIX MÈTRES ! s'écria encore Porouc. Tu es sérieux ?

— Absolument, ce sont bien ses mots.

Le cordier de *La Fleur de lys* jeta alors un regard menaçant à Mumbai.

— Ha, ha, très drôle ! T'es content ? Tu t'es bien joué de moi, hein ?

— Pas du tout. Ce sont bien les paroles du vieil homme. Il a lui-même vu le crocodile à plusieurs reprises.

Le paysan, qui avait clairement noté l'inquiétude des marins sur leurs visages, confirma ses propos en mimant à nouveau la taille de l'animal et les endroits où il l'avait vu.

Porouc s'écarta un peu plus du bord du lac, tout en regardant autour de lui au cas où le gros reptile rôderait dans les environs. Il commençait sérieusement à regretter d'avoir quitté le navire. Il avait souhaité se détendre un peu les jambes sur la terre ferme, mais au lieu d'être détendues, celles-ci commençaient à flageoler.

— Si les habitants des environs croient effectivement qu'un crocodile hante le lac, cela expliquerait pourquoi il est si peu fréquenté, fit remarquer Flibus. Pourtant, ce vieil homme ne semble pas craindre de venir ici.

Mumbai questionna justement le paysan à ce propos.

— Il dit qu'il n'a pas vraiment le choix. La source d'eau la plus proche de sa masure est à plus de trois lieues.

Flibus observa pensivement le vieil homme. Il réalisait tout à coup combien sa vie devait être rude. De son côté, il se sentait vraiment privilégié de pouvoir écumer les mers librement, même si les conditions étaient parfois difficiles, voire périlleuses. Il se sentait très heureux de mener cette vie de marin, entouré de ses amis. Pour rien au monde, il n'aurait voulu être à la place de ce paysan.

L'étonnement qu'il vit tout à coup sur le visage de Mumbai le sortit brusquement de ses pensées.

— Que dit-il?

Le marin indien prit un certain temps avant de répondre. Il tripota longuement sa large boucle d'oreille en or avant de rapporter:

— Il prétend qu'un autre groupe d'hommes est récemment venu chercher le collier…

— Comment ça ? questionna Corsarez, en devançant ainsi son meilleur ami.

— Notre ami affirme que c'est la deuxième fois en seulement un mois.

L'information dérangea Flibus et ses compagnons.

— Saurait-il décrire ces personnes ?

La description du paysan ne tarda pas.

— Des marins étrangers comme nous, enfin comme vous, précisa Mumbai. Cependant, eux, ils connaissaient déjà l'existence de la grotte, car ils ont aussitôt cherché à la localiser en plongeant dans le lac.

Flibus et Corsarez se regardèrent en silence quelques instants. Tous les deux pensaient à la même chose. Si d'autres parvenaient à mettre la main sur le collier avant eux, alors il y avait peu de chances qu'ils revoient Castorpille et Ratasha en vie. Le maharadjah s'était montré très catégorique. Ils devaient revenir avec le collier pour regagner la liberté de leurs amies. Le temps était désormais compté, puisqu'ils avaient des concurrents. Aussi Flibus s'empressa-t-il de questionner Mumbai:

— Demande-lui s'il a revu ces hommes récemment!

Mumbai traduisit aussitôt, puis attendit la réponse, qui ne tarda pas.

— Il les a aperçus à quelques reprises aux abords du lac. La dernière fois, c'était hier. Il a vu deux hommes plonger depuis une barque, tandis que les autres semblaient surveiller la surface de l'eau tout en tenant des armes. Il a remarqué, cependant, qu'ils étaient moins nombreux que les premiers jours.

— Leurs compagnons ont peut-être été victimes du fameux crocodile, en déduisit Porouc, loin d'être rassuré.

— C'est bien possible, enchaîna Corsarez, en lissant sa barbichette brune, mais on sait au moins qu'ils n'ont toujours pas trouvé la grotte.

— Nous avons donc encore une chance de réussir avant eux! se réjouit Flibus.

Le quartier-maître de *La Fleur de lys* demanda alors si le vieil homme pouvait leur indiquer tous les endroits où les autres marins avaient déjà plongé, afin d'entamer leurs propres recherches dans un secteur encore inexploré. Fort heureusement, le paysan sut leur montrer le secteur où les premiers marins avaient concentré leurs recherches. En effet, le lac était tellement étendu qu'y chercher une grotte sous-marine sans le moindre repère revenait à chercher une aiguille dans une botte de foin.

— Dans ce cas, il n'y a plus de temps à perdre ! s'exclama Corsarez.

— Attendez ! le reprit cependant Porouc. Ne me dites pas que vous comptez vraiment plonger dans ce lac alors qu'il est habité par un crocodile géant ?

— Les autres marins le font bien, eux, lui rappela Mumbai, désireux de trouver au plus vite cette grotte et les richesses qu'elle pourrait renfermer en plus du collier.

— Certes, mais c'est leur problème s'ils cherchent à se faire dévorer. Moi, je ne me risquerai pas à plonger là-dedans, surtout pour chercher un hypothétique collier dans une hypothétique grotte…

— Tu dis ça parce que tu as peur, lui jeta Mumbai.

— C'est vrai, et alors ? Il n'y a pas de honte à avoir peur. La peur est une bonne conseillère. Elle nous met en garde contre les dangers dans lesquels les inconscients comme toi foncent la tête baissée.

— C'est n'importe quoi ! rétorqua Mumbai en balançant son bras dans un geste de désapprobation. Je n'ai jamais entendu pareille absurdité. Si on devait t'écouter chaque fois qu'il faut prendre un risque, on n'avancerait pas. Tu es un froussard, Porouc, un point c'est tout !

En entendant cette insulte, le cordier serra brusquement ses poings, mais Flibus coupa court à tout débordement :

— Arrêtez, tous les deux ! Votre dispute ne fait que nous retarder. Nous chercherons également la grotte sous-marine, mais en limitant les risques. Je vous rappelle que nous avons à bord de *La Fleur de lys* deux savants qui nous ont déjà permis de surmonter toutes sortes d'obstacles grâce à leurs inventions.

— À quoi songes-tu ? voulut savoir Corsarez.

— À leur submersible.

— Mais oui, c'est une excellente idée !

— Mais il n'y a que deux places dans ce submersible ! s'écria Mumbai, visiblement déçu. Et je présume que c'est encore vous deux qui l'utiliserez !

— Et alors, quel est le problème ? rétorqua Corsarez d'un ton autoritaire. Nous sommes tes supérieurs, que je sache, et nous sommes donc seuls juges pour choisir les meilleurs candidats pour une telle mission.

— D'accord, mais dans ce cas, laissez-moi aussi plonger pendant que vous serez dans le submersible. Nous gagnerons du temps en cherchant dans un plus large périmètre…

— C'est hors de question ! s'opposa aussitôt Flibus. Tu serais trop exposé en cas d'attaque du crocodile. De plus, nous pourrions également te blesser en manœuvrant les hélices du submersible.

— C'est un risque que je suis prêt à prendre.

— Moi, pas ! Le capitaine non plus, d'ailleurs, j'en suis sûr. Il est donc inutile d'insister. Tu resteras à bord de *La Fleur de lys* comme les autres, et c'est un ordre ! conclut le quartier-maître en mettant ainsi fin à la discussion.

Sur ces paroles, Flibus remercia chaleureusement le paysan qui s'inclina en joignant les paumes de ses mains devant son front, selon la coutume de son pays. Alors, les marins regagnèrent leur barque. Porouc monta à bord en jetant des regards craintifs de tous les côtés, pensant que l'énorme reptile qui vivait dans ce lac pouvait surgir à tout moment. Il s'apprêtait à s'asseoir en se tenant prudemment au bord de l'embarcation, quand Mumbai lui lança brusquement, avec un air taquin :

— Fais attention à ce que le crocodile ne t'arrache pas le bras en jaillissant de l'eau !

Lâchant vivement la barque, le cordier perdit l'équilibre et bascula en arrière. Mumbai chercha à le rattraper, mais en voulant se retenir à lui, son compagnon l'entraîna dans sa chute et tous les deux passèrent par-dessus bord.

— AU SECOURS ! SORTEZ-MOI DE LÀ ! hurla Porouc en maintenant sa tête hors de l'eau. JE NE VEUX PAS MOURIR NOYÉ…

Le cordier était tombé sur le dos à seulement un mètre de la rive, à un endroit où il n'y avait pas plus de vingt centimètres d'eau.

— Tout va bien, l'ami ! chercha à le rassurer Mumbai, en se redressant à son tour avec un air amusé. Tu ne risques pas de te noyer avec si peu d'eau, regarde !

— PEU IMPORTE, ASSASSIN ! continua le cordier. Tu as voulu me sacrifier au crocodile pour qu'il vous laisse tranquilles, n'est-ce pas ? Avoue-le !

Les rires fusèrent, tandis que Mumbai attrapait son ami par l'arrière, en passant ses mains sous ses bras pour l'aider à se relever. Corsarez tendit en même temps sa main pour aider Porouc à enjamber le rebord de la barque.

LA QUÊTE DU COLLIER

Maître Fujisan protesta encore, le visage presque aussi rouge qu'une tomate :

— Non, non et non ! Cette fois-ci, vous n'utiliserez pas mon submersible !

Les bras croisés, Flibus se tenait dans la cabine des deux savants, entouré de tous les membres de l'équipage venus en grand nombre pour s'informer sur la suite des opérations. Le jeune quartier-maître de *La Fleur de lys* ne s'était toutefois pas attendu à un tel refus. Il se reprocha intérieurement d'avoir peut-être été trop direct dans sa demande.

— Vous ne tenez tout de même pas à abandonner nos deux amies prisonnières sur le bateau hanté du maharadjah ? jeta Flibus en regardant fixement maître Fujisan dans les yeux.

La question fit aussitôt réagir le savant japonais qui expliqua dans un soupir :

— Certes non, mais vous m'avez rendu mon submersible dans un triste état la dernière fois que vous l'avez utilisé dans la mer des Enfers[4].

— C'était le prix à payer pour tous nous sauver d'une mort certaine, enchaîna Corsarez.

— Ah non, vous n'allez pas vous y mettre, vous aussi !

Maître Fujisan posa fermement sa main contre le battant de sa porte pour montrer qu'il n'hésiterait pas à la refermer au nez de tous ses amis s'ils insistaient trop.

— Nous promettons de vous rendre votre submersible en bon état cette fois-ci, assura Flibus.

— Je suis navré, mais je ne vois pas ce qui vous permet de l'affirmer.

— En tout cas, avec votre appareil nous serons davantage en sécurité face au crocodile.

— Peut-être que mon submersible vous protègera, mais qui le protègera, lui ?

---

[4] Voir le tome 3, *La Ligue des pirates*.

— Eh bien…

— Vous voyez, vous n'avez aucune garantie. Donc ma décision est prise, c'est non !

— S'il vous plaît, maître Fujisan…

Devant la douce supplication de Flibus, le savant japonais baissa quelque peu le ton de sa voix, tout en cherchant néanmoins une nouvelle excuse :

— De toute façon, mon submersible est inutilisable pour l'instant. Je n'ai pas terminé de le réparer. Son étanchéité est encore toute à refaire.

Au même moment, maître Chow se faufila au milieu de l'équipage pour entrer dans sa cabine. Il s'était absenté quelques instants pour assouvir un besoin pressant et n'avait pas suivi la conversation. Aussi, en entendant qu'il était question du sous-marin, il crut bon d'annoncer, sans penser qu'il allait contredire son confrère :

— Le submersible est tout à fait opérationnel !

— Pardon ? s'étouffa presque le savant japonais.

— Je suis navré, maître Fujisan, d'avoir omis de vous le dire, mais je me suis déjà occupé d'enduire toute la coque du submersible. Elle est parfaitement étanche maintenant.

— Je peux le confirmer, enchaîna Ostrogoff, le greffier russe. J'ai moi-même assisté à cette réparation que je n'ai pas manqué de mentionner dans mon livre de comptes.

— Mais enfin, pourquoi avez-vous pris cette initiative, maître Chow ? pesta le savant japonais. Je ne vous avais rien demandé, que je sache.

— C'était pour vous rendre service, tout simplement. Cela faisait déjà un bon moment que vous me parliez d'entreprendre une nouvelle exploration des fonds marins. J'ai donc pensé que vous seriez heureux d'avoir un peu d'aide pour achever la réparation. Je voulais vous faire la surprise, il y a quelques jours, mais avec les récents événements, j'ai totalement oublié de vous en parler.

À court d'arguments, maître Fujisan observa un instant ses amis qui attendaient maintenant une réponse favorable. Il retira finalement sa main du battant de la porte et donna son accord d'une voix à peine audible. Cela ne l'empêcha pas pour autant de lancer plusieurs regards sévères à maître Chow pour condamner son intervention maladroite.

Puis, le savant japonais invita ses amis à le suivre dans les cales afin de constater, pour commencer, la qualité de la réparation effectuée par son confrère. Il n'y trouva rien à redire et félicita même maître Chow pour son travail remarquable. Sa bonne humeur de retour, il demanda alors à faire monter son submersible sur le pont supérieur. Une fois celui-ci installé, il grimpa sur la petite passe-relle aménagée pour accéder à la tourelle de contrôle.

Soudain, Flibus se souvint d'un détail que le savant avait mentionné lors de la première utilisation du submersible.

— Il me semble encore vous entendre nous raconter qu'à l'origine cette invention avait été motivée par des raisons militaires…

Depuis la passerelle, maître Fujisan baissa brusquement la tête vers Flibus. Il l'approuva mollement avec un regard méfiant :

— Je vous l'accorde, jeune homme, mais je ne vois pas en quoi il est pertinent de le rappeler. Vous ne chercheriez tout de même pas à utiliser ce submersible dans un but de destruction ? Car, si tel est le cas, je vous le dis tout de suite, je n'accepterais pas que vous preniez place à son bord.

— Ne vous inquiétez pas, maître Fujisan. J'évoquais ce simple détail en pensant aux hasards qui nous amènent parfois à utiliser une invention dans un but différent de la raison initiale de sa création.

Peu convaincu par cette explication, le savant japonais chercha à déceler, dans les regards de Flibus et de Corsarez, leurs véritables intentions, mais il ne remarqua rien d'anormal. Il les avertit cependant :

— De toute façon, s'il arrivait quelque chose de fâcheux à ce submersible, je renoncerais à le réparer ou même à en construire un autre.

Le message fut bien compris par tous, et le capitaine donna enfin des ordres pour mettre le submersible à l'eau. Le monte-charge se montra une nouvelle fois utile pour déplacer l'impressionnant engin. Un baril vide fut fixé sur le flanc de l'appareil. Ainsi, si les deux occupants éprouvaient une quelconque difficulté durant l'immersion, ils n'auraient qu'à libérer le baril depuis l'intérieur pour le faire remonter à la surface et avertir ainsi leurs amis.

• • •

À l'extérieur, le soleil continuait à darder ses rayons. Depuis les hauteurs de son grand mât, la Tête de mort avait entendu toutes les discussions pendant qu'elle repliait son linge enfin sec. Son seul souci restait cependant ce foulard qu'elle avait volontairement jeté sur les genoux du capitaine. À défaut de trouver du papier pour écrire sa lettre anonyme, c'était le seul moyen qu'elle avait imaginé pour demander au capitaine de lui réserver gracieusement le collier du maharadjah. Elle avait directement brodé son texte sur le tissu, ce qui lui avait nécessité plusieurs heures de travail intense. Selon elle, le résultat était tout à fait remarquable, dans un style gothique, agrémenté de quelques touches personnelles qu'elle nomma le *Os Style*, à ne pas confondre bien sûr avec *hostile*. Elle avait ensuite mis le foulard en boule pour mieux viser le capitaine. Mais voilà, en le récupérant, ce dernier n'avait même pas pris la peine de bien l'observer pour y découvrir son message. Il l'avait rangé sans égard sur le côté de sa chaise roulante. Un foulard d'une grande qualité, un tissu précieux qu'elle avait justement payé le prix fort sur un marché des Indes occidentales. Elle ne pouvait donc pas se permettre de s'en séparer trop longtemps. Le problème restait de savoir comment le reprendre des mains du capitaine après être parvenue à lui faire lire le message. Sur le coup, elle avait songé à son fidèle assistant, Moustache, mais le chat tigré se montrait très distant depuis quelques jours. Elle ne comprenait d'ailleurs pas pourquoi. Ils formaient une bonne paire pourtant. Plusieurs missions dans lesquelles ils avaient collaboré s'étaient conclues avec succès.

« De toute façon, comme je le dis souvent, on n'est jamais mieux servi que par soi-même, surtout sur ce navire », raisonna finalement la Tête de mort pour s'encourager à atteindre seule son but.

Bien déterminée à récupérer son foulard par tous les moyens, elle se creusa le crâne, qui était déjà bien creux!

• • •

Le capitaine Kutter et l'équipage suivirent avec attention l'entrée de Flibus et de Corsarez dans le submersible. Plusieurs se souvenaient avec une certaine nostalgie de la dernière mise à l'eau de l'engin. D'autres préféraient oublier ces instants, au cours desquels ils avaient tous failli périr dans d'horribles souffrances.

Porouc se tenait à côté du père Chouard, le regard inquiet.

— Tout ira bien, mon fils, lui assura l'aumônier.

— Je ne vois pas ce qui vous permet d'en être aussi sûr, père Chouard. La dernière fois, ça s'est très mal passé, même si on a fini par s'en sortir vivants.

— Porouc n'a pas tort, cracha Martigan. Je ne le sens pas non plus, ce coup-là.

— Qu'est-ce que vous allez vous imaginer, tous les deux ? reprit l'aumônier. Nous devons garder confiance en nos amis. Ils en ont bien besoin.

— Avec un crocodile de plus de dix mètres qui a élu domicile dans ce lac, il leur faudra bien plus que notre confiance, moi, je vous le dis ! rétorqua Porouc. Ils auront besoin de beaucoup de chance, sinon je ne donne pas cher de leur peau.

— Il a raison, appuya Martigan. Je suis même prêt à parier, dix contre un, qu'ils ne s'en sortiront pas vivants, cette fois-ci !

— Pari tenu ! s'engagea aussitôt Cenfort. Moi, je crois qu'ils réussiront.

— Moi aussi, appuya un autre marin, je tiens le pari, car je suis certain qu'ils vont y arriver.

Ravi de faire à nouveau des affaires, Martigan demanda prestement au cordier :

— Et toi, Porouc, tu es des nôtres ?

— Moi, pas du tout ! Je ne parie jamais. Ça porte malheur !

— Bon, tant pis. Et vous, père Chouard ? osa proposer Martigan.

— Qui, moi ? Eh bien…

Au même moment, Le Bolloch interpella l'équipage et coupa court à la réponse de l'aumônier :

— Regardez, le submersible est en train de plonger !

L'équipage retint son souffle. L'eau s'agitait autour du submersible qui descendait progressivement. Assis dans l'habitacle, Flibus et Corsarez saluèrent une dernière fois leurs amis à travers les hublots du dessus puis, après avoir rempli le ballast, ils disparurent dans les profondeurs du lac. Le capitaine Kutter demanda alors à tous ses hommes de rester vigilants afin de signaler la moindre anomalie.

Dans le submersible, Flibus restait bien concentré. Maître Fujisan lui avait brièvement rappelé toutes les manœuvres, mais il n'était toujours pas à son aise dans un espace si exigu. Il râla un peu, pour la forme :

— Quitte à réparer ce submersible, nos savants auraient pu aussi améliorer son confort.

— Surtout qu'ils avaient prévu de l'utiliser eux-mêmes, pour observer les fonds marins, confirma Corsarez.

Les deux amis plaisantèrent encore pour ne pas trop penser qu'ils étaient enfermés dans une grosse caisse en bois entièrement plongée dans l'eau. Corsarez observait régulièrement les alentours à travers les hublots, tandis que

Flibus s'assurait de manœuvrer l'hélice verticale en respectant la vitesse de descente que maître Fujisan lui avait conseillée.

— Si la profondeur moyenne mesurée dans ce secteur est bien de dix mètres, alors nous devrions bientôt atteindre le fond, fit remarquer le quartier-maître.

— Justement, je l'aperçois déjà, confirma Corsarez.

Flibus arrêta aussitôt l'hélice pour ne pas descendre davantage. Il regarda ensuite à travers son hublot et observa lui aussi le fond marin éclairé par les deux réflecteurs de lumière installés sur le submersible. Ne voyant aucune cavité souterraine à proximité, il actionna l'hélice verticale afin de se déplacer vers l'avant.

— Et si cette grotte n'était ni plus ni moins qu'une légende ? s'inquiéta Corsarez, au bout de quelques minutes.

— Peut-être bien, Émilio, mais on n'a pas vraiment le choix, je crois. On doit retrouver le collier, et cette piste est la seule que nous ayons pour l'instant. De plus, je te rappelle que d'autres marins recherchent aussi le bijou dans ce lac. Au moins, nous, nous ne nous mouillons pas, comparativement à eux.

— Oh, ça oui, tu peux le dire ! répondit Corsarez d'un air amusé. Mais, vois-tu…

Flibus attendait le commentaire supplémentaire de son ami, mais celui-ci resta silencieux.

— Qu'y a-t-il, Émilio ? Tu as avalé ta langue, ou quoi ?

— Je crois que nous avons de la visite !

— Tu parles des autres marins ?

Corsarez attendit encore avant de répondre.

— Oh, non, mais il est gigantesque ! s'écria-t-il en frottant énergiquement le verre de son hublot pour enlever la buée qui s'y était accumulée.

— Mais de quoi tu parles à la fin ? s'impatienta Flibus.

— Du crocodile. Regarde donc à travers mon hublot !

Flibus délaissa la manœuvre de l'hélice et se pencha sur le côté. Ce qu'il vit alors le glaça d'effroi. Un crocodile monstrueux, avec une tête énorme, nageait à quelques mètres de leur submersible. Ses deux pattes avant s'agitaient agilement tandis que sa longue queue ondulait avec force pour le propulser rapidement.

— C'était donc vrai ! s'exclama Flibus, la gorge sèche.

— Oh, il vient vers nous maintenant ! s'écria Corsarez.

Les deux marins suivirent des yeux la progression du reptile géant, tout en se demandant s'il allait les contourner. Après tout, ils étaient dans une embarcation conçue en bois et en métal, c'est-à-dire sans grand intérêt pour un animal carnivore. Cependant, puisque ce dernier fonçait tout de même dans leur direction, Corsarez s'interrogea :

— Tu crois qu'il a senti notre odeur, même à travers le submersible ?

— C'est difficile à dire, mais peut-être a-t-il perçu les vibrations causées par les hélices.

Le crocodile se rapprocha à vive allure mais, au moment d'atteindre le submersible, il bifurqua brusquement pour le contourner.

— Je ne le vois plus, et toi ?

Flibus ne répondit pas immédiatement, afin de s'assurer que le reptile s'était bel et bien éloigné d'eux. Il avait collé son visage contre la vitre de son hublot, pour bien regarder de tous les côtés, quand tout à coup, il sursauta en voyant une gueule béante apparaître devant lui. Le crocodile frappa avec force la coque de l'embarcation qui tangua brusquement. Sous l'impact, et parce qu'ils étaient dans un espace confiné, les deux marins se cognèrent violemment tête contre tête. Ils avaient à peine repris leurs esprits qu'un autre choc survint, provoquant un tour complet du submersible sur lui-même. Ils virent alors une partie de la longue mâchoire du reptile se frotter contre la vitre d'un hublot. Ses dents acérées étaient énormes, ce qui ne leur procura aucun réconfort. Mais une autre découverte, plus effroyable encore, leur glaça le sang : il y avait une fuite dans leur habitacle. Flibus ne paniqua pas et posa sans tarder sa main sur le manche qui actionnait l'hélice horizontale.

— Fais tourner l'autre hélice, Émilio! commanda-t-il. C'est notre seule chance de le faire fuir.

Corsarez fit aussitôt ce que son ami lui avait demandé. Lors de l'attaque suivante du crocodile, ils le frappèrent tour à tour et l'obligèrent à s'éloigner, mais ce ne fut que provisoire, malheureusement. À l'assaut suivant, plusieurs palles des deux hélices se cassèrent net contre la puissante carcasse du reptile. Cette fois-ci, Flibus et son ami se retrouvèrent dans l'impossibilité de manœuvrer l'appareil. Le combat était tout à fait inégal. Ils s'étaient crus en sécurité dans le submersible mais, de toute évidence, ils s'étaient trompés. La coque était bien trop fragile face aux attaques répétées d'un crocodile aussi gros. Ils se regardèrent un instant en réalisant qu'ils étaient pris au piège. Mais très vite, d'autres entrées d'eau se multiplièrent à travers la coque du submersible, ce qui les fit enfin réagir.

Flibus relâcha aussitôt le baril vide fixé à l'arrière de la coque. Étant rempli d'air, celui-ci remonta aussitôt. Les deux marins n'avaient donc plus qu'à attendre qu'il jaillisse à la surface de l'eau pour avertir leurs compagnons. Ils ne pensaient toutefois pas que le crocodile se précipiterait sur le baril en le prenant pour une proie en fuite. D'un coup sec, l'animal le broya avec sa large mâchoire. Pire encore, il sectionna au passage la corde qui reliait le submersible à *La Fleur de lys*. En constatant cela, à travers les hublots du dessus, Flibus s'écria :

— Nos amis ne peuvent plus nous secourir ! Si on veut s'en sortir, il va falloir ouvrir la tourelle et remonter par nos propres moyens !

— Au risque de nous faire tuer par ce monstre ! répliqua Corsarez, conscient du dilemme atroce. As-tu vu comment il a broyé le baril ?

— Tu préfères mourir noyé, peut-être ?

— Bien sûr que non !

— Dans ce cas, on est d'accord. Je vais ouvrir la tourelle pour remplir l'habitacle.

On prendra notre inspiration au dernier moment et on sortira. Malheureusement, je ne garantis pas qu'on atteindra tous les deux la surface, mais c'est notre seul espoir pour qu'au moins l'un de nous s'en sorte.

Les deux amis échangèrent un nouveau regard et se souhaitèrent mutuellement bonne chance. Ils empoignèrent vigoureusement leurs avant-bras, puis Flibus chercha à débloquer la tourelle. Sentant une résistance, il pensa à la pression de l'eau, plus forte en profondeur, mais il se ravisa bien vite en voyant une masse noire au-dessus du submersible.

— Ce n'est pas croyable! On dirait qu'il attend qu'on sorte par là, justement! fit remarquer Flibus, stupéfait.

Corsarez n'eut pas le temps de réagir, car le submersible bascula brusquement et se fit entraîner vers la paroi rocheuse.

LE COURAGE DE MUMBAI

À la surface du lac, des bouts de bois apparurent soudainement, dont quelques-uns qui portaient de nettes marques de morsures.

— Quel malheur ! Ils se sont fait attaquer par le crocodile ! s'écria Porouc.

— Ce sont des morceaux du submersible ? demanda le capitaine, avec un air inquiet.

— Non, du baril, certifia Cenfort, le tonnelier.

— Regardez ! Le cordage du submersible a été sectionné, avertit un autre marin en tirant vivement dessus.

Un grand effroi s'empara alors de l'équipage de *La Fleur de lys*. Maître Fujisan tenait entre ses mains un sablier géant pour s'assurer que la durée d'immersion ne soit pas dépassée.

L'autonomie d'air du submersible était estimée à une trentaine de minutes environ. Flibus et Corsarez avaient encore du temps, mais sans cordage pour les remonter, il ne pouvait plus les secourir. Du coup, il s'en voulut de ne pas avoir insisté pour empêcher cette folle expédition.

La nouvelle alerte de Porouc ne fit rien pour les rassurer :

— Je viens d'apercevoir une énorme masse dans le lac. Je suis sûr que nos amis ont déjà été dévorés !

Le Bolloch foudroya du regard le pessimiste cordier en lui aboyant dessus :

— Tais-toi, oiseau de malheur !

Appuyé contre la rambarde, comme tous ses compagnons, Martigan lança à son tour sans aucune délicatesse :

— Je crois que j'ai gagné mon pari !

— Pas du tout ! rétorqua Cenfort. Rien ne nous dit que nos amis sont déjà morts. Je n'ai pas vu la moindre traînée de sang…

— C'est parce qu'il les a engloutis tout entiers, supposa le marin borgne. Vu la taille de ce crocodile, ce ne serait pas étonnant.

— Peut-être, mais tu ne peux pas le prouver pour l'instant.

— Et les marques de morsures sur les bouts de bois ? Et la corde sectionnée ? Ce ne sont pas des preuves selon toi ?

— Non. Ça prouve simplement qu'ils ont été attaqués, pas qu'ils sont déjà morts.

— Oh, tu m'agaces ! Tu ne veux surtout pas admettre que tu as perdu le pari, espèce de tricheur !

— C'est faux, c'est toi le tricheur !

Les autres marins, qui s'étaient aussi engagés dans le pari, accusèrent à leur tour Martigan, mais le capitaine Kutter intervint au même moment, le visage enflammé :

— TÊTES DE POULPE SANS TENTACULES ! Vous allez arrêter de vous quereller alors que nos amis sont en danger ! Qu'attendez-vous pour les aider ? Prenez des harpons ou ne je ne sais quoi d'autre, mais faites quelque chose pour nous débarrasser de ce reptile !

Honteux, tous les hommes disponibles s'attelèrent à se procurer des armes, tandis que le capitaine, lui, ne décolérait pas. Il attrapa vivement le tissu qu'il avait rangé à côté de sa cuisse. Sentant ses narines humides, il se moucha vigoureusement avec le foulard qu'il avait pris pour un vulgaire mouchoir.

« AH ! QUELLE HORREUR ! s'écria tout à coup la Tête de mort depuis son drapeau. Il a osé se moucher dans mon précieux foulard ! »

Le capitaine Kutter éprouvait encore de la gêne, aussi réitéra-t-il de plus belle son geste.

« MAIS IL RECOMMENCE ! C'EST DÉGOÛTANT ! Maman, je sens que je vais m'évanouir ! C'est plus que je ne peux en supporter… Bon, tant pis pour ce maudit collier ! se reprit finalement la Tête de mort, toujours à l'étroit dans son armure de bois. Ils peuvent le garder. Je veux récupérer mon foulard maintenant! Et puis cette cuirasse-là, elle m'agace aussi! Elle me dérange plus qu'elle ne me protège. À cause d'elle, mes gestes sont moins précis. Je suis sûre que si je ne la portais pas, j'aurais déjà réussi à récupérer mon foulard. »

En deux temps, trois mouvements, elle arracha sa protection et la jeta.

« Allez! HOP! hors de ma vue! »

La cuirasse s'abattit sur le malheureux Broton qui observait attentivement la surface de l'eau pour avertir ses amis s'il apercevait le crocodile. Sous le choc, il s'écroula comme une masse sur sa plateforme d'observation.

Pendant ce temps, sur le pont, les autres marins tentaient également de déterminer la position du crocodile, mais celui-ci nageait trop profondément pour qu'ils puissent l'atteindre avec leurs armes. Ils étaient alors tellement concentrés sur leurs tâches qu'ils n'entendirent pas les sifflotements du chef Piloti, qui sortait de sa coquerie avec une énorme marmite dans les mains. Son visage souriant laissa bientôt place à un air interrogatif quand il vit ses compagnons bien occupés. Il annonça tout de même :

— Le repas est prêt ! Vous pouvez apporter vos gamelles.

Personne ne réagit à l'appel.

— *Mamma mia !* Mais qui m'a fichu une bande de pirates aussi ingrats ? pesta le cuisinier de *La Fleur de lys*. Il faut toujours qu'ils se lancent au combat à l'heure du repas. Ça va être froid, encore une fois !

De rage, le chef Piloti lâcha la marmite, qui tomba à la verticale juste devant lui, mais sans pour autant renverser ses spaghettis à la rhumaine, à l'exception de quelques éclaboussures de sauce tomate chaude. Sentant brusquement des brûlures sur ses pieds nus, le cuisinier hurla de plus belle, avant de chercher à donner un coup de pied sur la marmite. Il suspendit toutefois son geste pour ne pas se blesser davantage.

Non loin de là, maître Fujisan fixait toujours son gros sablier avec une grande inquiétude. Il ne restait plus beaucoup de temps avant que ses amis ne manquent d'air dans le submersible. Il le signala à maître Chow qui se mit aussitôt à réfléchir, tout en lissant sa longue et fine moustache. Le savant chinois s'arrêta bientôt en apercevant la marmite du chef Piloti. L'instant d'après, il retroussa ses amples manches et avança à grands pas vers le jeune Tafa, l'assistant du cuisinier. Il lui commanda prestement :

— J'aurais besoin de votre aide, mon garçon ! Faites comme moi et prenez l'autre anse, je vous prie.

Ensemble, ils agrippèrent la marmite et se dirigèrent vers la rambarde en écartant leurs compagnons à l'aide de leurs mains libres. Le chef Piloti les suivit du regard d'un air surpris.

— Prêt à déverser, jeune homme ?

— Je suis prêt, maître Chow.

— Attention, allons-y !

En un instant, tout le contenu de la marmite fut jeté à l'eau, au grand désarroi du chef Piloti, qui hurla en se tenant la tête à deux mains :

— *MAMMA MIA !* Mes spaghettis à la sauce rhumaine ! Mais qu'avez-vous fait, malheureux ? Vous êtes fous, ma parole ! Que va-t-on manger maintenant ?

Maître Chow ne fit guère attention aux braillements du cuisinier. Tafa, lui, ne réfléchit pas longtemps en voyant le chef Piloti sortir un large couteau de sa ceinture. Il courut sur le pont sans se retourner. Alors qu'il passait près du grand mât, il entendit un bruit sec. La pointe de la lame se planta durement dans le bois et, à l'insu de tous, elle sectionna également un long fil de pêche qui pendait étrangement le long du mât.

Depuis les hauteurs, la Tête de mort s'écria au même moment :

« Ce n'est pas possible, mais ils le font exprès, ma parole ! J'avais enfin réussi à accrocher mon foulard avec l'hameçon et cet imbécile de chef Piloti a coupé net mon fil. Je vais devoir tout recommencer. En tout cas, je sais au moins que je suis capable de récupérer mon foulard. En effet, j'ai déjà pu le reprendre au capitaine, il y a quelques minutes. J'ai quand même dû lancer un shilling sur le pont pour détourner l'attention de Bristol, qui poussait sa chaise roulante. J'espère donc que je n'aurai pas à le regretter. Vite, je dois me dépêcher de remettre un hameçon à ma ligne, avant qu'un autre marin ne ramasse mon précieux foulard qui est maintenant par terre. »

La Tête de mort remonta rapidement son fil.

Pendant ce temps, près de la rambarde, maître Chow observait attentivement la surface du lac aux côtés des marins qui tenaient leurs armes, prêts à tirer sur le reptile.

— Regardez, le crocodile remonte ! s'exclama soudain Gravenson, le grand blond scandinave.

— Bien pensé, maître Chow, félicita le capitaine. La nourriture que vous avez jetée l'a attiré à la surface de l'eau.

Les marins de *La Fleur de lys* sursautèrent brusquement en voyant l'énorme reptile jaillir des eaux avec une effroyable puissance. Celui-ci se jeta aussitôt sur le repas du chef Piloti comme un animal affamé, en se tortillant et en se tournant sur lui-même.

Profitant de la situation, Mumbai jeta un coup d'œil sur le sablier de maître Fujisan. Il n'hésita plus et plongea depuis la rambarde.

— Un homme à la mer! avertit un marin.

— Mais non, c'est Mumbai! fit remarquer Yasar. Je l'ai vu sauter délibérément. Il va sûrement secourir nos deux amis.

— Un être courageux, c'est ainsi qu'il faudra se souvenir de lui! commenta lugubrement Porouc.

— Je lui ferai également un bel éloge pendant la cérémonie mortuaire, ajouta le père Chouard, qui doutait de voir ses amis s'en sortir face à un tel monstre.

Bien que le crocodile soit devenu plus vulnérable en s'exposant à la surface, rien ne semblait pouvoir l'arrêter tellement il était énorme. L'initiative de Mumbai encouragea néanmoins ses compagnons qui attaquèrent aussitôt le reptile. Des harpons partirent dans plusieurs directions, mais ils ricochèrent tous sur l'épaisse peau rugueuse.

— Visez les yeux et la gueule ! cria le capitaine en pointant son pistolet. Vous l'atteindrez plus facilement.

Le coup de feu fit violemment réagir le crocodile qui s'agita avec rage en sentant le projectile. Cette fois-ci, il laissa totalement sa nourriture de côté et donna un grand coup de queue par réflexe. Même s'il ne voyait pas le navire invisible, il réussit à frapper sa coque et à le faire tanguer dangereusement. Sous le choc, plusieurs marins perdirent l'équilibre, dont Porouc, qui fut le seul cependant à passer par-dessus la rambarde. Il parvint quand même à se retenir au cordage et à éviter ainsi une chute dans l'eau. Toutefois, il se trouvait désormais hors du champ d'invisibilité du navire, et donc sous la menace du crocodile.

— AU SECOURS, À MOI ! JE VAIS TOMBER !

Le géant reptile leva la tête et aperçut sa nouvelle proie étrangement suspendue dans les airs. Porouc croisa d'ailleurs son regard menaçant et comprit qu'il avait été repéré. Fort heureusement, Le Bolloch surgit peu après et l'attrapa par le bras pour l'aider à remonter. Le crocodile n'eut même pas le temps de l'atteindre, car il reçut en pleine face un nouveau jet de harpons et même de lances achetées à une tribu africaine lors d'une précédente escale.

Pendant ce temps, Mumbai nageait avec hargne sans se soucier de ce qui se passait à la surface de l'eau. Il vit soudain le submersible et comprit pourquoi ses compagnons n'étaient pas encore remontés. La tourelle était bloquée par une grosse pierre qui s'était détachée de la paroi rocheuse contre laquelle le crocodile avait entraîné ses compagnons. Alerté, le marin indien s'approcha rapidement du submersible et cogna vivement sur la coque pour signaler sa présence. N'obtenant aucune réponse, il se plaça devant un hublot pour regarder à l'intérieur quand, tout à coup, le visage aplati de Corsarez apparut contre la vitre avec de gros yeux exorbités. Il recula brusquement et faillit ouvrir la bouche sous l'effet de la surprise.

— Mumbai est là, avertit Corsarez en se tournant vers Flibus, qui tentait toujours d'ouvrir la tourelle.

L'air commençait à leur manquer et l'habitacle était presque entièrement inondé, à cause des nombreuses fuites, mais les deux marins eurent enfin une lueur d'espoir.

Sans perdre un instant de plus, Mumbai s'agrippa fermement à la tige de métal de l'hélice supérieure et poussa la grosse pierre avec son pied. Elle bougea sous l'effort et finit par tomber sur le côté. Aussitôt la tourelle libérée, Flibus put enfin l'ouvrir, ce qui fit entrer l'eau précipitamment dans l'habitacle. Corsarez et lui eurent juste le temps de prendre une inspiration avant de se retrouver entièrement immergés.

Flibus laissa son meilleur ami passer le premier, puis il sortit à sa suite. Mumbai les accueillit tour à tour en s'assurant qu'ils allaient bien, mais une ombre les alerta au même moment du danger. Le temps de lever les yeux, ils virent avec effroi le crocodile plonger dans leur direction. Ils agitaient vigoureusement les bras et s'écartaient sans réfléchir, quand un choc brutal se produisit, faisant exploser le submersible. Les trois marins ne cherchèrent même pas à comprendre ce qui venait de se passer. Nageant vers la surface, derrière ses amis, Flibus baissa simplement la tête un instant. Il vit alors le reptile qui se tortillait, coincé entre les débris du submersible et l'entrée d'une grotte.

Sur le bateau, le capitaine et l'équipage se tenaient toujours aux aguets, cherchant la présence de leurs amis, lorsque de nouveaux morceaux de bois apparurent à la surface.

Plusieurs pensèrent aussitôt au pire, mais Porouc les avertit le premier avec un regard qui se trouva, pour une rare fois, rempli de joie :

— JE LES VOIS REMONTER !

— Tous les trois ? s'enquit aussitôt le docteur Rogombo, l'espoir au cœur.

— Oui, c'est bien eux, confirma bientôt Le Bolloch.

Corsarez, puis Mumbai sortirent enfin la tête de l'eau, suivis de près par Flibus. Tous les marins de *La Fleur de lys* manifestèrent leur joie en les voyant revenir, y compris Martigan qui n'éprouva finalement aucun regret d'avoir perdu son pari. Tandis qu'on jetait les échelles de corde pour permettre aux rescapés de remonter, il retira une petite bourse de son vêtement et paya son dû sans protester. Le matelot borgne ne manqua pas de rappeler toutefois, avec un large sourire, qu'il parviendrait à récupérer son argent d'une façon ou d'une autre.

Maître Chow se réjouit tout particulièrement d'avoir contribué au sauvetage de ses amis. Il se tourna vers son confrère pour partager son enthousiasme, mais il nota aussitôt l'air sombre que ce dernier affichait.

— Vous allez bien, maître Fujisan ?

— Évidemment, je suis très heureux que nos amis soient revenus sains et saufs, mais regardez… mon submersible… il est entièrement détruit.

Maître Chow s'approcha :

— Je comprends votre déception, cher ami.

— Et ma déception à moi, qu'en faites-vous ? s'interposa le chef Piloti avec sa grosse voix. Qu'est-ce qui vous a pris de jeter mon repas à la mer sans mon autorisation ?

— Je suis vraiment navré, cher ami, se défendit le savant chinois. Il y avait urgence, et j'ai cru bien faire…

— Mais vous avez bien fait, assura le cuisinier de *La Fleur de lys*, d'un ton plus calme. Je l'admets. Vous avez eu un geste héroïque, grâce à mon assistant, que j'espère ne pas avoir trop effrayé en lui lançant mon couteau. Seulement, je suis tout aussi accablé que maître Fujisan d'avoir perdu mes spaghettis à la sauce rhumaine.

— C'est bien dommage, en effet, compatit encore maître Chow. Je suis sûr que vous nous auriez encore régalés, cher ami.

Le chef Piloti se sentit tout à coup très flatté par le commentaire. Il répondit finalement, tout en frottant machinalement ses mains sur son tablier :

— Bah, je pourrai toujours en refaire. En attendant, j'ai de beaux saumons frais que Tafa et moi avons pêchés un peu plus tôt, ce matin.

— Justement, j'ai déjà commencé à les préparer, chef ! annonça le jeune mousse égyptien en sortant la tête de la coquerie.

— Ah, c'est très bien, petit ! se réjouit l'imposant cuisinier italien en se retournant vivement. J'arrive, dans ce cas.

Les deux savants sourirent face à la bonne humeur retrouvée du chef Piloti. Maître Chow proposa ensuite à son confrère :

— Je serais ravi de pouvoir vous aider à construire un autre submersible. Celui-là pourrait être bien plus gros, si vous le souhaitez. Ainsi, nous pourrons y prendre place avec nos amis lors d'une mission de ce genre. Vous aurez alors tout le loisir de surveiller la manœuvre et d'éviter qu'un tel incident se reproduise. Qu'en pensez-vous, cher ami ?

Maître Fujisan réfléchit un instant avant de présenter à son confrère un large sourire, accompagné d'une généreuse poignée de mains.

Les deux savants s'éloignèrent ensuite vers leur cabine en songeant déjà à ce nouveau modèle de submersible, et en laissant leurs compagnons profiter pleinement du retour des deux rescapés et vanter l'exploit de Mumbai qui n'avait pas hésité à mettre sa vie en danger pour sauver ses amis.

LE PUITS

Flibus s'éloigna de Corsarez et de Mumbai, qui étaient entourés par plusieurs pirates plus attentifs que jamais. Tous voulaient entendre leur version de l'histoire, avides de détails sur ce crocodile géant qu'ils avaient vu jaillir de l'eau, frissonnant encore en pensant à sa gigantesque taille. Le second du capitaine trouvait que ses deux amis exagéraient un peu en narrant leur mésaventure. Mais il les laissa faire, car il préférait réfléchir à une solution pour venir en aide à Castorpille et à Ratasha. Ils ne pouvaient plus compter sur le submersible pour retrouver la grotte. Pourtant, il était presque sûr de connaître son emplacement maintenant. En remontant, il avait bien vu cette cavité où le crocodile avait tenté de les entraîner.

Il s'agissait probablement de son repaire et peut-être même de la grotte dont le vieil homme leur avait parlé. Seulement, étant donné la menace que représentait le reptile géant, il ne voyait pas trop comment ses amis et lui pourraient plonger à nouveau dans ce lac.

« Il doit bien y avoir un autre moyen d'entrer dans cette grotte ! pensa-t-il. Sinon, comment ceux qui ont volé le collier du maharadjah auraient-ils fait pour y cacher leurs richesses ? »

Flibus tourna son regard vers la berge, lorsqu'il aperçut le paysan. Mumbai le remarqua aussi et s'approcha de la rambarde en commentant :

— Ce vieil homme était sans doute curieux de voir comment on s'en sortirait. Mais je me demande s'il a compris que notre navire était invisible.

— Difficile à dire, monsieur Mumbai, mais s'il nous observait au moment où on est remontés à bord, il a dû être terriblement surpris de nous voir disparaître brusquement.

— Ce genre de vision, c'est bon pour vous donner une attaque, surtout à son âge.

— Pourtant, ce vieil homme ne semble pas avoir été effrayé. Il nous a aussi probablement vus mettre le submersible à l'eau. De même, quand vous avez attiré le crocodile à la surface, il a dû se demander d'où venaient ces armes qui jaillissaient de nulle part.

— De toute façon, avec la vie difficile que ce paysan a vécue, il ne doit plus y avoir grand-chose qui le surprenne vraiment. Il me fait un peu penser à mon père. C'était le même genre d'homme, calme et serviable.

Flibus sentit une certaine nostalgie dans le ton de voix de Mumbai. Il tourna la tête pour l'observer et nota qu'il fixait longuement du regard le vieil homme sur la berge. Il mourait soudain d'envie de lui poser mille et une questions sur son enfance en Inde, mais le marin ne lui en laissa pas le temps :

— Tiens, c'est étrange, on dirait qu'il fait des signes dans notre direction !

Le jeune quartier-maître de *La Fleur de lys* porta à nouveau son regard vers la berge et vit effectivement le paysan qui agitait ses bras.

— C'est bien nous qu'il appelle, en conclut le quartier-maître. Il doit sans doute penser qu'on peut le voir d'où nous sommes.

— Peut-être connaît-il un moyen d'atteindre la grotte autrement que par le lac?

— Possible, mais pourquoi ne pas nous l'avoir dit la première fois? rétorqua Flibus.

— Il voulait peut-être nous tester…

— Ou bien nous envoyer directement à la mort! enchaîna tout à coup Porouc en s'invitant dans la conversation. Je ne serais pas surpris d'apprendre que derrière l'apparence inoffensive de ce vieil homme, se cache en réalité un être diabolique. Je pense qu'il nous a servis en offrande à ce crocodile, comme les autres marins et tous ceux qui nous ont précédés dans cette mésaventure.

— Là, tu y vas un peu fort, tout de même, le reprit Mumbai.

— Pas du tout. Ta naïveté te trompe, mon cher. C'est sans doute ce vieil homme qui veille à nourrir le reptile géant. Comment se fait-il qu'il n'ait pas peur de s'approcher du lac, hein? À cause de son air sympathique, il nous a bien dupés. Mais j'ai fini par découvrir son petit jeu et là, je suis persuadé qu'il veut nous entraîner dans un autre piège.

L'explication de Porouc fit aussitôt son chemin dans l'esprit de tous les membres de l'équipage qui venaient de se rassembler autour du cordier. Plusieurs reconnurent que ses paroles avaient un certain bon sens. Même le capitaine Kutter n'écarta pas la possibilité qu'ils aient été trompés par ce vieil homme. Dans le doute, Flibus proposa donc:

— Le mieux serait d'aller le rencontrer à nouveau et de lui poser directement la question. S'il cherche à nous mentir, nous finirons bien par le savoir.

Le capitaine et l'ensemble de l'équipage approuvèrent aussitôt afin d'être enfin fixés sur cette histoire.

Sans plus attendre, Flibus demanda au groupe qui l'avait déjà accompagné de le suivre une nouvelle fois, mais Porouc s'empressa de répondre :

— Je préfère rester à bord.

— Permission refusée ! s'opposa immédiatement le quartier-maître. C'est toi qui as lancé ces accusations contre le vieil homme, donc tu seras aussi du voyage pour entendre directement ses aveux.

Pris d'une soudaine angoisse, Porouc recula discrètement et chercha à s'enfuir à toutes jambes, mais Le Bolloch l'agrippa fermement par le col.

— Holà, pas si vite, l'ami ! Tu te trompes de direction, lui jeta le marin breton d'un air amusé, provoquant aussitôt une cascade de rires sur le pont.

Pendant ce temps, sur les hauteurs du bateau, la Tête de mort jubilait en remontant enfin son précieux foulard. Elle avait profité du rassemblement de l'équipage pour relancer sa ligne. Il ne lui restait que quelques mètres à parcourir avant de pouvoir tenir à nouveau son foulard entre ses mains. Elle perdit cependant vite son enthousiasme en voyant une mouette s'envoler du mât de misaine et se diriger dangereusement vers sa prise. Alertée, elle coinça sa canne entre ses côtes et tira vivement sur le fil de pêche de ses deux mains osseuses. L'oiseau arriva à toute vitesse, le bec déjà grand ouvert. Il s'apprêtait à attraper le foulard, mais il fut devancé de peu et s'éloigna finalement en lançant son cri strident.

« Tu ne croyais tout de même pas que tu allais pouvoir me le prendre, misérable petite voleuse ! » s'écria la victorieuse Tête de mort en posant son précieux foulard contre son thorax et en le portant ensuite vers son visage.

En le dépliant machinalement, elle souhaitait simplement sentir l'odeur qui lui avait tant manqué, quand elle s'écria d'une voix déformée par le tissu collé contre son nez et sa bouche :

« MAIS C'EST VRAI, LE CAPITAINE S'EST MOUCHÉ DEDANS ! »

En réalisant tout à coup son erreur, la malheureuse Tête de mort ne supporta pas le choc et s'évanouit à l'intérieur de son drapeau dans un bruit d'os qui se disloquent.

• • •

Flibus et son équipe prirent à nouveau place dans la barque et s'éloignèrent du bateau en ramant le moins brusquement possible pour éviter d'attirer l'attention du crocodile. Ils avaient cependant à peine parcouru quelques mètres que Lin Yao leur cria, depuis le gaillard d'arrière :

— Attendez-moi, je viens avec vous !

— LIN YAO, NON ! l'arrêta aussitôt le capitaine.

La jeune Chinoise sauta dans l'eau au même moment et nagea jusqu'à la barque, malgré la menace du crocodile qui pouvait surgir à tout moment.

Les occupants de la barque arrêtèrent aussitôt de ramer et se dépêchèrent de la faire monter avec eux. Flibus hésita un instant à la ramener sur le bateau. Il décida finalement de la laisser les accompagner pour ne pas perdre de temps en faisant demi-tour.

Le reste du trajet jusqu'à la berge se déroula sans incident. Personne ne remarqua la moindre présence du crocodile dans les parages. Cependant, à leur arrivée, ils s'étonnèrent de ne plus voir le vieil homme. Le temps d'amarrer la barque, celui-ci avait disparu, alors qu'il les saluait encore de la main quelques instants plus tôt. Flibus et ses amis restèrent sur leurs gardes, plus méfiants que jamais. Porouc, lui, se félicita de la disparition du vieillard. Cela confirmait ses soupçons. Il ne manqua pas d'ailleurs de le rappeler, ce qui agaça encore plus Mumbai, qui avait beaucoup de mal à croire que le vieil homme ait cherché à les tromper.

— C'est tout de même étonnant qu'il soit parti aussi brusquement, souffla Flibus, intrigué.

— Je vois des empreintes de pieds toutes fraîches, avertit Corsarez, qui se tenait accroupi. Elles se dirigent vers le nord.

— Ce sont probablement les siennes, supposa Mumbai. Si on se dépêche, on pourra facilement le rattraper. Il a même emporté ses outres, donc il ne doit pas marcher bien vite.

Tous se retournèrent vers leur quartier-maître pour entendre sa décision. Flibus n'hésita pas longtemps :

— Partons à sa recherche ! Ce vieil homme nous doit des explications.

Sans perdre de temps, ils suivirent un sentier qui contournait le lac. La jungle devenant de plus en plus dense, ils durent utiliser leurs épées pour se frayer un chemin à travers la végétation abondante. Vite épuisé, Porouc commença à ralentir pour finalement se retrouver à quelques mètres en arrière du groupe. Agacé de voir les autres qui marchaient sans peine devant lui, il râla de plus belle, quand il entendit un craquement de branche derrière lui. Il se retourna aussitôt, mais ne vit rien de particulier. Une grande angoisse l'envahit brusquement, et son imagination le convainquit tout à coup qu'il était suivi par une bête féroce.

— J'aurais mieux fait de me taire au sujet de ce vieil homme, murmura-t-il. On ne m'aurait pas obligé à venir. On va tous mourir, si on continue comme ça !

Tout en regardant régulièrement derrière lui, Porouc avança d'un pas plus rapide et se dépêcha de rejoindre ses compagnons. Il bouscula même Corsarez et Mumbai au passage pour se placer à l'avant du groupe, entre Flibus et Lin Yao.

La nièce de maître Chow sourit en le voyant arriver paniqué comme s'il venait de voir un fantôme, mais un bruit sur leur droite attira soudain son attention. Le temps de tourner la tête, elle découvrit un naja[5] qui se dressa brusquement en dirigeant sa tête vers Porouc. L'attaque semblait imminente.

— ATTENTION ! cria-t-elle.

La jeune Chinoise tourna rapidement sur elle-même avant de donner un violent coup de pied sur la tête du serpent sans qu'il ait eu le temps de réagir. Tous s'arrêtèrent en le voyant valser dans les airs, à l'exception de Porouc qui s'écarta vers la gauche sous l'effet de la peur. Dans son déplacement, il trébucha sur une racine ressortie de terre et bascula en arrière. Ses amis ne le virent pas tomber, mais quand ils se retournèrent, le cordier avait totalement disparu.

— AU SECOURS ! À MOI ! entendirent-ils peu après.

Flibus avança le premier dans la direction d'où venait le cri de détresse. Son pied buta au même moment sur un petit muret en pierres dans l'herbe haute. Il se pencha et découvrit

---

[5] Serpent venimeux que l'on rencontre dans toute l'Afrique, au Moyen-Orient ainsi qu'en Asie.

enfin le malheureux Porouc suspendu dans le vide et se tenant fermement à une grosse racine. Il était tombé dans un trou extrêmement profond.

— Tends la main, je vais te remonter.

— Je ne peux pas. Je n'arriverai pas à me tenir d'une seule main, certifia le marin en haletant.

— Mais si, tu le peux.

Flibus se pencha davantage, tandis que Corsarez le maintenait par les jambes pour l'empêcher de tomber. Il parvint enfin à agripper Porouc par l'avant-bras et à le tirer. Mumbai l'aida rapidement en l'attrapant aussi par le poignet, mais ils sentirent une vive résistance.

Le bougre de cordier restait fermement accroché à la grosse racine comme s'il s'agissait de son fil de vie.

— Je ne veux pas mourir ! se lamenta-t-il en fermant les yeux.

— Calme-toi, on va te sortir de là ! lui affirma Flibus. Mais tu dois lâcher cette racine.

On te tient. Tu n'as plus rien à craindre maintenant.

Porouc ouvrit les yeux et croisa le regard rassurant de son compagnon. Il lâcha enfin la racine. Malgré sa frêle corpulence, Flibus et Mumbai eurent toute la peine du monde à le remonter, tellement il était crispé. Ils le sortirent du trou et l'étendirent sur l'herbe.

— Je suis vraiment en vie ? questionna faiblement Porouc, en se tâtant soudain de partout.

— Oui, ton heure n'a pas encore sonné, commenta Mumbai, avant de lui faire des reproches : Mais comment as-tu fait pour tomber dans un endroit pareil ? C'est plus fort que toi, il faut toujours que tu trouves le moyen de te mettre en danger...

— Ce n'est pas de ma faute. Si on m'avait laissé sur le bateau, je n'aurais pas eu cet accident.

La remarque visait bien sûr le quartier-maître, qui ne la releva pas. Toute son attention était concentrée sur le trou. Il arracha quelques herbes et examina les lieux.

— Regardez, il y a des pierres assemblées tout autour. C'est un puits, on dirait. Sans doute abandonné depuis longtemps.

— Quelle idée de creuser un puits à cet endroit ! pesta Porouc. Les villageois auraient au moins pu le condamner correctement, s'ils ne s'en servent plus.

Au même moment, Corsarez remarqua un symbole sur l'une des pierres. Il cracha dessus et frotta énergiquement pour en dégager l'excédent de terre.

— As-tu trouvé quelque chose ? lui demanda Flibus en s'approchant.

— Oui, il y a une marque sur cette pierre. C'est le dessin d'un œil.

— On dirait même un œil qui pleure, souffla Lin Yao en se penchant. En tout cas, c'est ce à quoi cela me fait penser. Regardez ces deux petites marques sous le coin droit de l'œil. Ne trouvez-vous pas qu'elles ressemblent à des larmes ?

— Tu as raison, reconnut Flibus avant de s'écrier : Attendez ! Des larmes, ça ne vous rappelle rien ?

— Mais oui, *Les Larmes du maharadjah* ! s'exclama Mumbai, en ajoutant aussitôt : Vous croyez que ce puits pourrait nous conduire jusqu'à la grotte sous-marine ?

— Il arrive que certains puits soient reliés à des passages souterrains, expliqua Corsarez. Dans l'*hacienda* de ma famille, au Mexique, mon père avait justement fait construire un accès entre le puits et notre cave. C'était une sorte d'issue de secours, si vous voulez.

Un long silence suivit ces paroles. Tous avaient les yeux rivés sur ce trou en s'imaginant déjà trouver la grotte et le collier du maharadjah au milieu d'une montagne de joyaux. Porouc sortit le premier de sa rêverie en se rappelant sa récente chute :

— Je suppose que vous allez tous vouloir descendre dans ce puits.

Le regard de ses amis suffit à lui faire comprendre l'évidence.

— Si tu veux, tu peux nous attendre ici avec Lin Yao, proposa Flibus.

— Oh non, moi aussi, je viens ! protesta aussitôt Lin Yao. Vous savez bien que je suis très souple et très agile. Je peux vous être utile. Je pense d'ailleurs vous l'avoir déjà prouvé avec le serpent.

La nièce de maître Chow regarda le quartier-maître de *La Fleur de lys* d'un air suppliant.

— Bon d'accord, tu peux venir, approuva Flibus, mais tu dois me promettre de rester prudente et d'écouter mes consignes.

— Promis, juré.

Une fois l'entente conclue, Flibus passa le premier et s'agrippa aux longues racines qui descendaient le long du trou. Il s'en servit comme d'une échelle naturelle et, en quelques minutes à peine, il atteignit le fond du puits. Celui-ci contenait toujours de l'eau, mais à environ un mètre au-dessus de la surface, il découvrit une cavité légèrement dissimulée derrière des racines et qui s'ouvrait effectivement sur une sorte de tunnel.

— J'ai trouvé un passage, avertit-il. Tu peux descendre, Lin Yao. Mumbai et Corsarez te suivront.

La jeune Chinoise ne se fit pas prier. Avec une facilité remarquable, elle passa d'une racine à une autre comme si elle était déjà entrée dans ce puits auparavant. Flibus fut stupéfait par sa grande souplesse. Elle fit même le parcours en deux fois moins de temps que lui et ne se priva pas pour le souligner en arrivant.

Mumbai et Corsarez descendirent tour à tour après elle, avec certes moins d'agilité, mais avec le même enthousiasme que deux adolescents sur le point de découvrir un fabuleux trésor.

Seul Porouc ne fut pas en mesure de partager leur émotion. L'espace d'un instant, il regretta même de ne pas pouvoir participer davantage à la recherche de la grotte, mais connaissant sa maladresse habituelle, il se contenta de rester assis près du puits, à attendre ses compagnons.

LE TUNNEL

Dans la semi-obscurité, Flibus aperçut une torche à l'entrée du tunnel. Juste en dessous, dans une petite cavité creusée à même la paroi rocheuse, il trouva aussi une pierre de pyrite et une lame de silex.

— Ils ont vraiment pensé à tout ! se réjouit Corsarez, en se penchant par-dessus l'épaule de son ami. Il faut maintenant espérer que ça fonctionne encore.

— Il n'y a qu'une seule façon de le savoir. Tiens, prends la torche ! On va essayer de l'allumer.

Flibus entrechoqua les deux pierres qui émirent aussitôt une étincelle. Satisfait du résultat, il répéta la même opération au-dessus de la torche. Celle-ci s'enflamma instantanément à la grande joie de tous. Une belle flamme illumina l'entrée du passage souterrain qui semblait se diriger vers le lac, ce qui donnait l'espoir d'aboutir directement à la grotte. Au premier abord, le tunnel ne paraissait pas avoir été endommagé par les effets du temps. De nombreuses racines sortaient des parois et de la voûte supérieure, mais le passage était tout à fait praticable, à condition de se déplacer en file indienne et de baisser un peu la tête.

Corsarez tint quelques instants la torche devant lui pour repérer les lieux, puis il la tendit à son quartier-maître qui passa devant pour conduire la marche. À leur approche, des rats s'agitèrent dans tous les sens, cherchant vite une issue pour ne pas se faire piétiner. Un peu plus loin, une grosse araignée, qui avait tissé sa large toile en travers du tunnel non emprunté depuis longtemps, eut juste le temps de se faufiler dans un trou pour éviter d'être touchée par la flamme de la torche.

Flibus la regarda disparaître. Il n'avait pas l'intention de la tuer, mais il se fraya tout de même un passage à travers sa toile en la brûlant. Lorsqu'il avança son pied pour poursuivre sa marche, il entendit un bruit sec et avertit aussitôt ses camarades :

— Ne bougez plus !

Une légère bousculade s'ensuivit en arrière, au moment même où trois pics jaillissaient brusquement de la paroi. Ils s'étendaient de gauche à droite, en travers du passage.

— Qu'est-ce qui s'est passé ? s'inquiéta aussitôt Corsarez, coincé entre Lin Yao et Mumbai.

— J'ai déclenché un piège qui a bien failli m'embrocher. Si cette toile d'araignée ne m'avait pas ralenti, mon compte aurait été bon. J'ai eu juste le temps de retirer mon pied quand j'ai senti venir le danger.

Lin Yao émit un hoquet d'effroi en découvrant, à la lueur de la torche, les pics de bambou qui se dressaient devant eux. Elle ne s'attendait pas du tout à ce que ce tunnel soit doté de pièges. Du coup, elle se sentit soulagée d'être derrière Flibus. Sa présence la rassurait. Elle avait vraiment l'impression d'être en sécurité à ses côtés.

— Comment va-t-on faire pour passer à travers ces pics qui nous barrent le chemin ? interrogea Mumbai.

— Il doit sûrement y avoir un moyen de les amener à se rétracter, supposa Corsarez.

En entendant cette remarque, Flibus posa à nouveau son pied à l'endroit où il avait déclenché le piège, mais rien ne se produisit.

— Je vais voir si je peux les repousser dans la paroi, proposa Corsarez en passant devant.

Le maître d'équipage d'origine hispano-aztèque posa ses mains sur l'un des pics, mais il eut beau forcer, celui-ci resta bien en place.

— Attends, Émilio. Prends la torche et écarte-toi un peu ! demanda Flibus.

Le quartier-maître de *La Fleur de lys* n'hésita pas longtemps et donna un violent coup de pied contre la première tige de bambou, qui se cassa aussitôt. Corsarez l'imita en s'attaquant à la suivante. Dans son mouvement, en écartant ses bras, il faillit toucher son meilleur ami avec la flamme de la torche, mais ce dernier la lui reprit des mains pour le laisser s'occuper du pic du milieu.

— Eh bien voilà qui nous évitera de retomber bêtement dans ce piège à notre retour, souffla Flibus.

— Il nous reste encore le pic du haut et c'est bon ! fit remarquer Corsarez qui chercha aussitôt à le tordre avec ses mains, étant donné qu'il ne pouvait pas l'atteindre avec son pied.

— Moi, je peux y arriver, assura Lin Yao en voyant son ami en difficulté.

Flibus et Corsarez s'écartèrent aussitôt pour la laisser passer. Il ne lui fallut pas longtemps pour se préparer. Elle sautilla sur place pour échauffer un peu les muscles de ses jambes puis, avec une belle extension, elle brandit son pied droit, très haut, et cassa net la dernière tige de bambou. Autant dire que son nouvel exploit fut encore très remarqué, à tel point que ses amis ne manquèrent pas de la féliciter et de se réjouir de l'avoir parmi eux. Ils poursuivirent ensuite leur chemin dans le tunnel.

— Après ce premier avertissement, je pense qu'il est inutile de vous dire de prendre garde où vous mettez les pieds.

Le commentaire de Flibus provoqua un sourire quelque peu crispé sur tous les visages. Personne ne voulait finir ses jours dans un endroit pareil, c'était une raison de plus pour rester prudent et éviter ainsi les mauvaises surprises. Aussi chacun s'assura-t-il de bien marcher dans les pas de la personne qui se trouvait devant lui, tout en évitant de toucher les parois du tunnel, par crainte de déclencher un autre piège accidentellement. Tout le groupe était tellement concentré sur le parcours qu'un long silence s'installa. Seul le bruit des pas s'entendait sur la terre légèrement boueuse à cause de l'humidité environnante. Flibus y songeait justement et espéra de tout cœur que le passage souterrain n'avait pas trop souffert de l'érosion. Ce n'était pas le moment que celui-ci cède sous le poids de l'eau, car ils devaient être très proches du lac, maintenant. Ils étaient peut-être même déjà en dessous, compte tenu de la distance parcourue. Flibus se força cependant à ne pas penser à cette éventualité. Sa récente expérience avec le submersible était encore très fraîche dans son esprit. Il avait bien cru mourir noyé avec son meilleur ami.

En queue de file, Mumbai marcha accidentellement sur le talon de Corsarez. Ce dernier perdit aussitôt l'équilibre et bouscula Lin Yao qui se retint de justesse au dos de Flibus. Une action entraînant une réaction, le jeune quartier-maître écarta machinalement son bras libre pour se retenir, mais son pied d'appui glissa sur la boue et le fit basculer en avant. Par réflexe, il s'agrippa à la première racine qui pendait sur le côté. Celle-ci céda sous son poids malgré tout et, en s'arrachant, elle laissa apparaître une substance visqueuse de couleur sombre qui jaillit aussitôt de la paroi. Elle éclaboussa Flibus, mais aussi la torche, qui s'enflamma davantage à son contact.

Lin Yao cria d'effroi en voyant les vêtements de son ami prendre feu par endroits.

— ÉCARTE-TOI ! lui ordonna Corsarez en se précipitant sur son compagnon qui tentait déjà d'éteindre d'une main les flammes qui l'assaillaient.

Malheureusement, comme la substance inflammable continuait à jaillir du mur sous la forme de petits grumeaux, d'autres flammes se formèrent sur les vêtements de Flibus. Corsarez ne perdit pas de temps. Avec le plus grand sang-froid, il tira son ami par-dessous les bras pour l'éloigner des jets. Il arracha ensuite la torche de sa main et la planta d'un geste vif dans la paroi pour qu'elle ne s'éteigne pas, mais surtout pour éviter que d'autres flammes ne se propagent. Dans la foulée, il enleva son gilet et frappa vigoureusement les vêtements de Flibus pour éteindre le feu. La manœuvre réussit plus ou moins à cause de la présence du combustible sur le tissu. Corsarez se jeta donc sans plus tarder par terre et ramassa de la boue avec ses deux mains jointes pour ensuite l'étaler partout sur la chemise et le pantalon de son ami. Cette fois-ci, il put enfin étouffer les flammes.

— Eh bien, je l'ai encore échappé belle ! souffla Flibus.

— Ça va, tu n'es pas trop brûlé ? lui demanda Corsarez, le cœur emballé.

— Oui, ça ira. J'ai connu bien pire, tu sais. Ce n'étaient que des flammèches, rien de plus. Ce sont surtout mes habits qui ont été touchés. Mes brûlures sont superficielles, je crois.

— Tant mieux, alors.

— En tout cas, je te dois une fière chandelle.

— Bah, ce n'est rien. Mais il faudrait que tu arrêtes un peu de te faire remarquer. Ça fait deux fois déjà.

Le jeune second du capitaine Kutter sourit en entendant ce commentaire et accepta la généreuse poignée de main de son meilleur ami, qui l'aida à se relever. Lin Yao et Mumbai s'avancèrent peu après, en prenant garde d'être éclaboussés à leur tour. La coulée avait brusquement diminué, laissant seulement jaillir par intermittence de faibles jets de grumeaux. De petites plaques de la substance visqueuse brûlaient encore sur le sol, mais Corsarez les recouvrit vite avec de la boue. L'odeur des lieux était devenue assez désagréable à respirer. L'air était déjà suffisamment vicié en raison du manque d'aération du tunnel, il ne fallait pas non plus que le combustible se consume davantage et asphyxie tout le monde.

Mumbai s'excusa d'avoir été à l'origine de l'accident, mais personne ne lui en tint rigueur. Flibus se permit même de lui donner une tape amicale sur l'épaule, puis il reprit la torche que Corsarez avait plantée dans la paroi.

Le petit groupe continua son chemin, oubliant peu à peu les récents incidents pour se concentrer sur le but à atteindre. La prudence resta de mise, et ils marchèrent au même rythme, lorsqu'une vingtaine de mètres plus loin Flibus annonça :

— Nous avons atteint le bout du tunnel !

Les explorateurs arrivèrent bientôt dans une grotte. Un grand enthousiasme les envahit aussitôt, mais ils ne virent rien de particulier au premier abord.

— Ce n'est pas possible ! On n'est quand même pas venus ici pour rien ? se lamenta Mumbai.

— Regardez, il y a un autre passage qui descend ! avertit Lin Yao.

La jeune Chinoise s'engagea dans le chemin en pente sans attendre ses compagnons qui la suivirent prestement, à nouveau pleins d'espoir. Apparemment, la grotte se prolongeait vers le bas.

Flibus promena sa torche pour repérer les lieux. Ses amis et lui restèrent alors figés en découvrant une nouvelle cavité beaucoup plus vaste. Leurs yeux pétillèrent d'excitation devant le butin qui se présenta tout à coup devant eux.

— Ah, voilà qui me fait revivre ! s'écria Mumbai.

Le marin indien aperçut une torche sur la paroi. Il s'en saisit et l'alluma au contact de celle de Flibus. Corsarez l'imita avec la suivante. Il ne leur fallut guère de temps pour éclairer toute la grotte et contempler le trésor. Mumbai s'en approcha le premier.

— Attends ! l'arrêta cependant Flibus. Il pourrait y avoir d'autres pièges.

Le marin indien haussa les épaules. Il ramassa tout d'abord un chandelier en or et une coupe incrustée de rubis, avant de les reposer à la vue d'un plateau en argent qui débordait de diamants. C'était plus qu'il ne l'avait espéré. Son visage rayonnait tellement il y avait de richesses. Partout où il posait son regard, ses yeux s'illuminaient de bonheur.

Lin Yao mourait d'envie de s'avancer elle aussi au milieu de ce somptueux trésor, mais elle attendit l'autorisation de Flibus. Quand il lui fit enfin signe d'y aller, elle le remercia par un généreux sourire, puis elle se dirigea aussitôt vers un coffret rempli de bracelets et de colliers de perles. Elle s'amusa en se parant de tous ces bijoux pour ensuite s'admirer dans le reflet d'un plateau. Enhardi de voir Mumbai et Lin Yao aussi heureux, Flibus baissa sa garde et se mit à chercher ce qui pourrait ressembler au fameux collier du maharadjah. Corsarez fit de même en s'écartant vers la gauche. Il grimpa sur un rocher pour se donner une meilleure vue d'ensemble, lorsque son regard s'arrêta soudainement sur un étrange monticule qui s'élevait un peu plus loin. Il s'en rapprocha et découvrit un amas d'ossements. Avec effroi, il remarqua plusieurs crânes humains, mais il fut encore plus horrifié en voyant une jambe amputée au niveau de la cuisse. D'une voix grave, il prévint sans tarder ses compagnons :

— Ce que je vais vous annoncer ne va sûrement pas vous plaire, mais je crois que nous sommes entrés dans le repaire du crocodile.

Flibus rejoignit prestement son ami et confirma ses observations. Lin Yao voulut également le constater, mais il lui défendit d'approcher davantage pour qu'elle ne voie pas le massacre.

— Il n'y a plus de temps à perdre ! fit remarquer le quartier-maître. Si on ne veut pas finir comme tous ces gens, on a intérêt à trouver le collier du maharadjah au plus vite.

Sur ces recommandations, tous se lancèrent dans les recherches. La tâche s'avérait cependant loin d'être facile au milieu d'un trésor aussi imposant. Fort heureusement, ils savaient à peu près à quoi devait ressembler un collier paré de vingt et une perles en forme de larmes. Aussi, après quelques minutes à peine, Lin Yao s'écria :

— Je crois que je l'ai trouvé !

Tous s'approchèrent rapidement à la vue d'un écrin posé sur un socle quasiment situé au niveau du sol. Celui-ci se trouvait au centre d'un monticule composé d'or et d'objets variés qui le dissimulaient légèrement, mais une fois repéré, le collier était tout à fait reconnaissable.

— Oh oui, c'est bien lui ! s'exclama Mumbai, sûr de lui. Il correspond exactement à la description que nous a fournie le maharadjah.

Le marin indien avait à peine fermé la bouche qu'un frottement résonna dans la grotte.

— C'était quoi, ce bruit ? interrogea Lin Yao avec un air effrayé.

Personne ne répondit, mais tous partageaient la même crainte.

Flibus ne chercha pas à comprendre ce qui se passait et se saisit du collier sans perdre une minute de plus. Mumbai, lui, se dépêchait de ramasser tout ce qu'il pouvait et de glisser son butin à l'intérieur de sa chemise, quand un mouvement sur le côté du monticule l'arrêta brusquement. Le temps de tourner la tête, ses amis et lui virent un large museau. Le crocodile géant était face à eux.

— Il nous a repérés ! s'exclama Mumbai.

— Filons d'ici !

Le jeune quartier-maître agrippa prestement Lin Yao par le bras et l'entraîna avec lui. Corsarez et Mumbai leur emboîtèrent le pas, tandis que le reptile fonçait sur eux en propulsant une partie du trésor dans tous les sens.

Dans sa fuite, Mumbai glissa sur un tas de pièces d'or, mais Corsarez l'aida vite à se relever. Dans l'urgence, ils évitèrent d'emprunter le chemin principal, qui les aurait obligés à faire un détour. Ils choisirent plutôt de grimper sur un rocher et de sauter directement dans l'entrée du tunnel.

Flibus n'eut même pas besoin de soulever Lin Yao par les jambes, car elle arriva en haut du rocher la première grâce à sa grande agilité.

Il en profita donc pour se saisir d'une torche accrochée tout près et en tendre une autre à Corsarez, tout en lui commandant :

— Passe devant ! Je fermerai la marche.

Tandis que ses amis se faufilaient un par un dans le tunnel, Flibus vit le crocodile avancer le long du chemin pentu. Il constata alors à quel point sa longueur était impressionnante. Son corps et sa queue se tortillaient avec une grande puissance. Aussi, il ne s'attarda pas à le regarder progresser. Il entra dans le souterrain juste derrière Mumbai, sans chercher à se retourner. Le quartier-maître de *La Fleur de lys* pensait que le reptile ne parviendrait pas à les suivre à cause de sa taille. Il réalisa cependant bien vite qu'il s'était trompé.

Le crocodile s'engouffra dans le tunnel, attiré par l'odeur de ses proies. Malgré l'étroitesse des lieux, il n'hésita pas à poursuivre sa chasse en se tortillant avec force. Ses pattes puissantes se frottèrent contre les parois, et il fit tomber sur son passage de grandes quantités de terre et de pierres. Plusieurs éboulements s'ensuivirent, mais rien ne semblait arrêter sa progression.

Flibus fut tenté de se retourner en entendant le bruit des effondrements. Tout en courant, il tendit sa torche vers l'arrière et vit avec effroi l'énorme tête qui s'approchait. Constatant que ses amis et lui perdaient du terrain, il eut alors l'idée de jeter sa torche à l'endroit même où il avait été éclaboussé par la substance inflammable. En passant devant peu après, il la lança sans hésiter. Le feu prit aussitôt derrière lui.

Le petit groupe arrivait enfin au niveau des pics de bambou cassés quand un étrange grondement se fit entendre, différent des bruits causés par les éboulements. Flibus tourna encore la tête pour en déterminer l'origine. À son grand soulagement, il constata que le feu avait bel et bien retenu le crocodile. Il distinguait les flammes au loin, mais il ne sut expliquer pourquoi le grondement gagnait en intensité. Intrigué, il s'arrêta, poussé par sa curiosité. Il vit alors le feu s'éteindre brusquement. Sur le coup, il pensa à un autre effondrement, jusqu'au moment où il vit une masse arriver sur eux à toute vitesse. Il cria aussitôt en reprenant sa course :

— Dépêchez-vous, le tunnel est en train d'être inondé !

La trombe d'eau emporta tout sur son passage. En un instant, elle engloutit Flibus et ses amis, juste au moment où ils étaient sur le point d'atteindre le bout du tunnel. Ils n'avaient même pas réagi, qu'ils se sentirent brusquement entraînés dans un tourbillon infernal. La puissance de l'eau les poussa directement vers le haut et, en quelques secondes à peine, ils se retrouvèrent propulsés hors du puits. Leur chute sur le sol fut assez brutale.

LES RETROUVAILLES

Crachant et toussant, Flibus se releva le premier en titubant. Encore sous le choc, il chercha à repérer Lin Yao, mais il vit d'abord Mumbai, puis Corsarez qui venait de se redresser, un air aussi surpris que lui collé sur le visage.

— Eh bien, quelle entrée remarquée ou plutôt quelle sortie, devrais-je dire ! entendit-il tout à coup derrière lui.

Le quartier-maître de *La Fleur de lys* se retourna au son de cette voix rauque qui lui était étrangement familière. Il reconnut aussitôt l'homme à la silhouette frêle. Son visage racorni par les années et son œil sans vie ne le trompèrent pas. Celui qui se faisait appeler

« le sorcier » se tenait devant lui, accompagné par une bande de pirates au regard mauvais.

— Je vous croyais mort dans cette grotte de la baie d'Along[6] ! s'exclama Flibus.

— Et pourtant, je suis bel et bien en vie.

— À mon grand regret, lança le quartier-maître sans détour, tout en cherchant à nouveau Lin Yao du regard.

— Voilà qui a le mérite d'être clair. Cela dit, je n'en attendais pas moins de vous. Je sais que vous ne m'aimez pas, mais le sentiment est réciproque, comme vous l'avez déjà très certainement deviné.

— Comment avez-vous fait pour échapper au dragon ?

L'homme afficha un vilain rictus avant de raconter son expérience :

— Après quarante jours, les effets du sortilège qui m'avait pétrifié en compagnie de cette bête se sont dissipés. En raison de son imposante masse, le dragon a simplement eu besoin

[6] Voir le tome 2, *Les joyaux de Pékin*.

de plus de temps pour retrouver toute sa mobilité. J'en ai alors profité pour lui échapper. Je garderai cependant toujours la marque de ses griffes, qui se sont profondément plantées dans ma chair. Il m'a fallu des semaines et des mois pour m'en remettre totalement, mais me revoilà sur pied, bien décidé à poursuivre mon objectif.

Sur ce témoignage, le sorcier leva le bras et claqua des doigts. À ce signal, la première ligne de marins s'écarta pour laisser apparaître Porouc, qui était fermement retenu par les bras et le cou.

— Je suis vraiment désolé, confia le cordier d'une voix étouffée à cause de la pression exercée sur sa gorge.

— Ce n'est rien, Porouc, assura Flibus avant d'entendre clairement les cris de Lin Yao.

— Lâchez-moi, sale brute !

Un marin surgit au même moment de derrière un arbre en tirant rudement la jeune Chinoise, qui tentait de se défendre en lui donnant des coups de pied. Mais l'homme au physique imposant ne semblait nullement impressionné par ses attaques. Le sourire aux lèvres, il la ramena prestement auprès des siens.

— Que voulez-vous ? demanda aussitôt Flibus.

— Voyons, ne me dites pas que vous l'ignorez, répliqua le sorcier. Nous voulons le collier du maharadjah, pardi !

— Quel collier ?

— Oh, je vous en prie, ne faites pas l'innocent. Je sais très bien pour quelle raison vous êtes ici.

Le regard désolé de Porouc confirma aussitôt qu'il avait fait des aveux sous la menace.

— Tu peux toujours courir, diable de sorcier ! lança Mumbai, en crachant sur le sol avec rage.

— Voyons, messieurs, vous ne voudriez tout de même pas qu'il arrive malheur à vos deux amis. Ce serait surtout dommage pour cette jeune fille. Elle a encore toute la vie devant elle. Regardez comme elle est coquette avec tous ces colliers et bracelets de valeur sur elle. D'ailleurs, ces parures m'indiquent que vous avez trouvé la grotte et le trésor qu'elle renfermait. Il en va de même pour vous, cher ami, quand je vois ces richesses que vous essayez tant bien que mal de dissimuler sous vos vêtements.

La dernière remarque s'adressait directement à Mumbai, qui tirait sur le bas de sa chemise, sous laquelle il avait effectivement caché son petit butin.

Cette fois-ci, Flibus n'hésita plus et plongea sa main dans sa poche :

— D'accord, le collier est à vous. Tenez, prenez-le.

Le joyau atterrit devant les pieds du sorcier, qui le ramassa aussitôt d'un air satisfait.

— Voilà qui est raisonnable. Si j'avais seulement su plus tôt que vous passeriez par ce puits pour rejoindre la grotte, j'aurais pu épargner la vie de mes compagnons qui ont péri dans le lac à cause de ce maudit crocodile.

Enfin, tel était peut-être pour nous le prix à payer afin d'être justement récompensés.

Sur ces paroles, le sorcier fit un nouveau signe à ses hommes, qui se précipitèrent vers Mumbai et le dépouillèrent de son butin. Le marin indien grogna, mais se garda de riposter pour ne pas mettre ses amis en danger.

— Maintenant que vous avez obtenu ce que vous vouliez, peut-être pourrions-nous retourner ensemble voir le maharadjah ? proposa Flibus à tout hasard. Nous avions convenu qu'il libèrerait notre mascotte en échange du collier.

— Ah, désolé, cher ami, mais nous n'avons jamais eu l'intention de le lui rapporter. Qu'il aille au diable, ce maharadjah ! Ce joyau est à nous ! Après tous les sacrifices qu'il nous a coûtés, nous l'avons bien mérité. Il nous sera bien plus utile qu'à lui, surtout quand je l'aurai déposé sur la dépouille de sa bien-aimée. Nous savons déjà où se trouve l'épave du navire par lequel elle devait être expédiée en Perse comme esclave. Des archives nous ont permis de retracer sa route jusqu'à l'île du Rocher ardent. Ce sont sur ses récifs que le bateau a coulé. Il me manquait simplement le collier pour atteindre mon objectif. Grâce à son pouvoir, je serai en mesure de réveiller l'âme de cette femme. Elle me permettra d'accéder directement au royaume des morts et d'en ressortir à ma guise. Ma puissance sera alors sans limites sur les deux mondes, celui des morts et celui des vivants.

Flibus et ses amis furent stupéfaits d'entendre ces paroles. Les révélations détaillées du sorcier leur laissaient cependant envisager le pire. Il était fort probable qu'ils ne s'en sortiraient pas vivants, car ils représentaient toujours une menace pour leurs adversaires.

Comme ils s'en doutaient, le sorcier leva justement une main pour donner l'ordre à ses hommes d'exécuter les prisonniers, mais un événement inattendu se produisit au même moment. En un instant, une masse jaillit brusquement du puits. Ayant juste eu le temps de s'écarter et d'agripper Lin Yao qui, sous le choc, avait été relâchée par son bourreau, Flibus vit du coin de l'œil l'énorme crocodile se jeter au milieu du groupe de pirates. L'un d'eux se fit aussitôt prendre dans sa gueule avant d'être rejeté, complètement déchiqueté, plusieurs mètres plus loin comme un vulgaire bout de bois. Alertés, les autres marins se dispersèrent en hurlant, mais le reptile en attrapa encore un, puis un autre dans la foulée. Les deux hommes eurent à peine le temps de crier avant d'être cruellement broyés.

Le carnage se poursuivit dans un mouvement de panique, chacun cherchant à sauver sa peau en fuyant dans tous les sens.

Flibus et Lin Yao réussirent à se cacher au milieu des hautes herbes. Ils y restèrent un petit moment quand, soudain, ils entendirent un bruit sec derrière eux. En se retournant, ils virent Corsarez approcher à quatre pattes.

— Sais-tu si Porouc et Mumbai ont réussi à s'en sortir ? se renseigna aussitôt le quartier-maître.

— Non, mais je les ai vus déguerpir chacun d'un côté quand le crocodile est sorti du puits, rapporta son meilleur ami.

— Espérons alors qu'ils pourront nous rejoindre à l'endroit où nous avons amarré la barque. On ne peut pas se permettre de les attendre ici. C'est trop risqué. Notre seule chance de nous en sortir est de regagner au plus vite *La Fleur de lys*. Il n'y a que là-bas que nous serons en sécurité.

— Et si Porouc et Mumbai n'arrivent pas à nous rejoindre ? s'inquiéta Lin Yao.

— Eh bien, nous partirons sans eux ! annonça Flibus d'une voix grave. Mais nous reviendrons les chercher dans les meilleurs délais, sois-en sûre ! Quitte à venir avec tout l'équipage s'il le faut. Nos compagnons n'hésiteront pas à se joindre à nous en grand nombre pour venir à leur secours. Avec nos armes, nous serons alors en mesure de résister plus efficacement aux éventuelles attaques du reptile.

Sur ces mots, Flibus annonça le départ. Sans perdre de temps, il conduisit son petit groupe jusqu'au chemin qui menait au lac. Les trois coururent en faisant le moins de bruit possible et, en quelques minutes, ils regagnèrent le rivage. Ils trouvèrent vite leur embarcation et la poussèrent aussitôt dans l'eau. Lin Yao grimpa la première, quand elle découvrit un corps tout recroquevillé dans le canot.

— Porouc ?

Le cordier se redressa au son de la voix familière.

— Ah, vous voilà ! J'ai bien cru que ce monstre vous avait tous tués.

— Sacré Porouc ! se réjouit Corsarez en montant à son tour dans la barque. C'est ton instinct de survie qui t'a guidé jusqu'au rivage ?

— C'est bien possible, mais si je n'avais pas rencontré le vieil homme dans ma fuite, je ne serais peut-être plus de ce monde. C'est lui qui m'a interpellé, puis guidé jusqu'ici.

— Et où est-il ? demanda Flibus.

— Je ne sais pas. Le temps de monter dans la barque et de me retourner pour le remercier, il avait encore disparu. J'aurais bien voulu aussi lui présenter mes excuses pour l'avoir accusé injustement…

— Il ne t'a rien dit ?

— Euh, non… Ah, si ! se reprit le cordier. Il m'a parlé dans son dialecte, mais je n'ai rien compris. Mumbai, lui, aurait pu le traduire. Mais au fait, il n'est pas avec vous ?

— Malheureusement, non.

— Attendez, le voilà ! avertit tout à coup Lin Yao.

Tous se réjouirent aussitôt de retrouver leur compagnon sain et sauf. Mumbai se dépêcha de monter dans la barque en recevant de généreuses tapes amicales sur l'épaule, puis il raconta en attrapant vivement deux rames :

— Vous devinerez jamais qui m'a sauvé ?

— C'est qui ? demanda Porouc, impatient.

— Le vieil homme.

— T'es sérieux ? Car c'est lui qui m'a sauvé aussi…

— Et comment ! J'ai failli y laisser ma peau. Je n'ai donc pas le cœur à plaisanter. Je m'apprêtais à prendre un sentier à ma droite quand je l'ai aperçu, au milieu de la végétation. Comme il m'a fait signe de le suivre, j'ai couru vers lui et, au même moment, j'ai vu le crocodile foncer dans la direction que je voulais d'abord prendre. Sans l'intervention de ce vieil homme, j'aurais eu mon compte, c'est certain. Il m'a ensuite guidé jusqu'aux abords du lac, un peu plus loin, et j'ai fini par vous rejoindre en longeant le rivage.

— C'est incroyable, tout de même ! s'émerveilla Porouc. Il t'a dit quelque chose à toi aussi ? Car moi, je n'ai rien saisi…

— Oui, répondit Mumbai tout en continuant de ramer. Après nous avoir souhaité bonne chance, il m'a dit que les perles du collier s'illumineraient à l'approche de sa fille…

— À l'approche de sa fille ? répéta Lin Yao, avec le même étonnement que ses compagnons. La bien-aimée du maharadjah serait donc sa fille !

— Attendez un peu ! réfléchit tout haut Corsarez. Ce vieil homme était sans doute un revenant, je parie...

— QUOI ! s'étouffa presque Porouc, en réalisant qu'il venait de côtoyer un fantôme.

— Navré, l'ami, mais je ne vois pas d'autre explication. Sinon, comment aurait-il pu vous sauver aussi rapidement, alors que vous étiez à deux endroits différents, Mumbai et toi ?

La barque atteignit bientôt *La Fleur de lys*. Le capitaine Kutter et l'équipage accueillirent leurs compagnons avec un grand soulagement.

• • •

À l'unanimité, Flibus et ses amis décidèrent de mettre à nouveau le cap sur le nuage bas enveloppant le navire du maharadjah.

Ils firent cependant face à un problème de taille. Ne pouvant pas réutiliser le sortilège de lévitation avant la prochaine pleine lune, ils cherchèrent un autre moyen de quitter le lac pour regagner l'océan Indien le plus tôt possible. Les deux savants réfléchirent aussitôt à la question. Maître Chow trouva la solution. Grâce à un sortilège qui rendit le navire très léger, il réussit à le faire s'élever dans les airs à l'aide de la montgolfière de son estimé confrère. Maître Fujisan trouva l'idée brillante et dirigea lui-même l'installation du ballon sur le pont. Il lui restait suffisamment d'acide vitriolique[7] et de limaille de fer pour fabriquer tout l'hydrogène qu'exigeait un tel voyage. L'hydrogène permettrait de gonfler le ballon et de porter *La Fleur de lys* dans les airs jusqu'au navire du maharadjah. Quatre jours étaient toutefois nécessaires pour remplir entièrement le ballon, ce qui impliquait qu'ils allaient perdre les effets de l'invisibilité avant le départ. Avec le palais à proximité, ils risquaient

[7] Aujourd'hui, communément appelé acide sulfurique.

d'être vite repérés. Mais maître Chow pallia une nouvelle fois cet inconvénient en jetant un autre charme qui accéléra la manœuvre, comme le jour où ils avaient dû aménager le navire pour le tournoi de tsu-mari[8]. Il leur suffit alors de quelques heures pour repartir.

La nuit suivante, *La Fleur de lys* amerrit dans l'océan Indien, poussée par des vents plus ou moins favorables. Flibus et ses amis ne trouvèrent cependant pas le nuage bas à l'endroit où ils l'avaient précédemment croisé. Inquiets pour la survie de Castorpille et Ratasha, ils naviguèrent sur plusieurs milles à la ronde durant des heures, en vain. Ils jetèrent finalement l'ancre et attendirent l'aube pour reprendre les recherches.

Trois jours s'écoulèrent sans le moindre résultat, mais au matin du quatrième jour, le matelot de vigie cria du haut de sa plateforme :

— NUAGE BAS EN VUE ! PAR TRIBORD ARRIÈRE !

---

[8] Voir le tome 3, *La Ligue des pirates*.

Des cris de joie s'élevèrent enfin de *La Fleur de lys*, qui fut attirée par la force d'attraction du mystérieux nuage blanc. Une fois à l'intérieur de l'épais brouillard, le bateau hanté l'aborda rapidement, accompagné des mêmes craquements effroyables. Le capitaine Kutter et ses hommes s'attendaient toutefois à voir l'équipage du maharadjah les accueillir sur le pont de leur navire, mais aucun fantôme ne se montra. Ne voyant pas d'autre solution envisageable, Flibus proposa alors de se rendre à bord avec Corsarez. Il ne tenait pas à mettre en danger la vie de ses compagnons, étant donné qu'ils revenaient sans le collier. La réaction du maharadjah face à cette nouvelle était totalement imprévisible. Il valait donc mieux ne pas prendre de risque inutile.

Une fois sur le bateau hanté, les deux marins s'annoncèrent à voix haute, mais ne recevant pas de réponse, ils se dirigèrent vers la cabine du capitaine. De toute évidence, le seul moyen de rencontrer le maharadjah était de se laisser à nouveau entraîner dans le train fantôme. Non sans ressentir une certaine angoisse, ils actionnèrent le piège en poussant la porte de la cabine. Comme ils s'y attendaient, une trappe s'ouvrit sous leurs pieds, et ils tombèrent directement dans le wagonnet qui les conduisit le long du même parcours sinueux. Quelques minutes plus tard, ils se retrouvèrent éjectés dans le compartiment où le fantôme leur était déjà apparu. Celui-ci se montra aussitôt, un air joyeux accroché au visage, mais qui disparut lorsqu'il découvrit que les deux marins n'avaient pas le joyau. Il réagit dès qu'il eut écouté leur mésaventure :

— Auriez-vous cherché à me tromper comme ces maudits squelettes ?

— Du tout, Votre Altesse ! assura Flibus. Il nous a bien été volé.

— Et comment puis-je être certain que vous dites la vérité ? répliqua le fantôme avec une grande méfiance. Décrivez-moi ce collier, puisque vous l'avez eu en mains !

— Il est paré de deux rangées de perles blanches en forme de larmes, comme vous nous l'aviez décrit. En revanche, la rangée du haut comporte dix perles et celle du bas, onze avec, au centre, une perle bien plus grosse que les autres.

Flibus avala difficilement sa salive, en attendant avec angoisse le verdict. Le maharadjah maintint un instant son regard sévère sur Corsarez et lui, puis il répondit d'une voix plus calme :

— C'est en effet sa description, avec quelques détails que je ne vous avais point mentionnés. Les vingt et une perles représentaient l'âge de ma bien-aimée au moment de sa disparition. La plus grosse perle fut la dernière à couler de mes yeux.

— Vous nous croyez, alors ?

— Oui, mais ne vous attendez pas à ce que je vous en sois reconnaissant. Je vous avais bien spécifié que je libérerais votre castor à la condition que vous me rameniez le collier.

— Nous comprenons parfaitement, Votre Altesse, mais si nous avons pris le risque de revenir vers vous les mains vides, c'est parce que nous pensons savoir où se trouve le bateau qui conduisait votre bien-aimée en Perse.

— Vraiment ? s'écria le maharadjah en posant sa main sur son cœur.

— Absolument, Votre Altesse. Celui qui nous a dérobé le collier nous a révélé l'endroit où il s'est échoué avant de nous laisser à notre sort. Avec sa bande de criminels, il ne s'attendait cependant pas à ce que mes amis et moi nous en sortions vivants.

— Et où est-il, ce bateau ?

— À environ deux cents milles de la côte sud-ouest de l'Inde. Il s'est échoué sur les récifs d'un îlot appelé Le Rocher ardent.

— Oui, je le connais. Les rochers de cette petite île ont une couleur pourpre qui, sous les rayons du soleil, à un certain moment de la journée, lui donne une apparence particulière, comme si elle était en flammes.

— Nous y avons déjà fait une petite escale une fois, précisa Corsarez.

— Ce n'est pas notre cas, mais nous sommes passés tout près durant nos recherches, confia le maharadjah en montrant ouvertement sa déception d'avoir été si proche du but. Toutefois, cela n'enlève rien au fait que sans le collier, il est impossible de nous réunir, ma bien-aimée et moi-même. Il faut absolument le reprendre des mains de ces maudits bandits !

— Justement, Votre Altesse, s'empressa de rapporter Flibus, nous pensons qu'ils ont mis le cap sur cette île, du moins ceux qui ont réussi à échapper au reptile géant.

— Dans ce cas, il n'y a plus de temps à perdre. Nous devons nous lancer à leur poursuite. Aussi, mes amis, je serais ravi que vous puissiez rester à bord pour me tenir compagnie sur la passerelle de commandement.

— Nous sommes très honorés par cette invitation, Votre Altesse, répondit Flibus, mais nous aurions néanmoins une faveur à vous demander avant.

— Je vous écoute.

— Nous vous saurions gré de nous rendre notre mascotte.

— Accordé !

Une fois l'entente conclue, le fantôme donna des ordres à son équipage pour qu'il libère le castor sur-le-champ. Flibus demanda ensuite à Corsarez de partir avec les deux rongeurs pour les mettre en sécurité. Sur le coup, son ami refusa de le laisser seul, mais il insista vivement en mettant son grade en avant.

De retour sur *La Fleur de lys*, Corsarez rapporta la situation. Vu les circonstances, le capitaine Kutter ne s'opposa pas à la décision de Flibus, mais il exigea cependant de suivre le bateau hanté avec son navire. En fait, son équipage et lui n'eurent pas trop le choix, car il leur fut impossible de sortir du nuage. Sa force d'attraction les en empêcha. Ils comprirent alors que le maharadjah avait décidé de les retenir encore. Étrangement, ils se sentirent portés par un courant qui les conduisit vers l'ouest.

• • •

À quelques mètres seulement d'un versant escarpé de l'île du Rocher ardent, le sorcier et ce qui restait de sa bande venaient de jeter l'ancre, lorsqu'ils aperçurent le nuage bas au loin.

— Mais comment ont-ils fait pour nous retrouver ? pesta l'homme au visage marqué.

— Ce n'est peut-être qu'un simple nuage, fit remarquer son maître d'équipage.

— J'en doute. La coïncidence serait bien trop grande. Ce sont probablement ces marins à qui nous avons pris le collier qui ont révélé notre destination à ces maudits revenants. Je les ai sous-estimés. Voilà pourquoi nous n'avons plus de temps à perdre, conclut le sorcier avant de demander : Alors, où en sont les recherches ? C'est bien long, je trouve, pour trouver cette épave. Elle devrait pourtant bien se situer dans le secteur, d'après les archives que j'ai consultées.

Le maître d'équipage de la goélette se renseigna aussitôt. Quelques instants plus tard, le plongeur réapparut, averti à l'aide du cordage fixé à sa taille.

— Il semble y avoir eu un glissement de terrain tout récemment, annonça-t-il en reprenant son souffle. L'épave s'est déplacée de plusieurs mètres, et il est assez difficile d'y accéder…

— JE M'EN MOQUE ! fulmina le sorcier. Retournes-y sur-le-champ pour repérer les lieux et attache ton fichu cordage au navire, ou je te jure que je vais te le faire regretter !

Le plongeur exécuta l'ordre sans tarder. Dans sa manœuvre, il devait faciliter l'accès à l'intérieur de l'épave. En descendant directement à l'aide d'une corde, le sorcier bénéficierait alors de plus de temps pour retrouver la dépouille et lui remettre en personne le collier du maharadjah.

Deux autres minutes s'écoulèrent encore avant que le marin ne remonte pour respirer. Une fois à la surface, il fit un simple signe de la main pour indiquer qu'il faisait une autre tentative. Le sorcier ragea de plus belle face à ce nouvel échec. Pressé par son maître d'équipage et confronté à la proximité de leurs adversaires, il donna finalement l'ordre d'armer les canons. Une première bordée retentit peu après et frappa de plein fouet la masse nuageuse. Le sorcier commanda aussitôt une seconde série de tirs sans savoir si le bateau fantôme avait vraiment pu être atteint. Ses hommes et lui ne se doutaient pas alors que *La Fleur de lys* se trouvait aussi à l'intérieur de l'épais brouillard. Très vite rattrapés par le nuage, ils eurent bientôt une surprise de taille en voyant apparaître brusquement deux navires, coque contre coque.

— ILS VONT NOUS ÉPERONNER ! cria le maître d'équipage.

La goélette tangua violemment sous l'impact et se brisa dans un énorme craquement. Plusieurs pirates passèrent par-dessus bord, tandis que d'autres succombèrent sous le poids des mâts et des vergues qui s'effondraient. Y échappant de justesse, le sorcier n'hésita plus et se jeta à la mer en glissant *Les Larmes du maharadjah* dans son vêtement. Depuis le bateau hanté, Flibus plongea juste derrière lui en voyant sa silhouette s'enfoncer dans l'océan. Une fois sous l'eau, il repéra rapidement le sorcier et l'agrippa par le pied, au moment où celui-ci tentait d'attraper le cordage qui venait d'être attaché à l'épave. Une lutte acharnée s'ensuivit entre les deux hommes. Flibus attendait cet instant avec impatience depuis leur rencontre près du puits. Il se garda néanmoins de chercher à tuer son adversaire. Son seul but était de récupérer le collier. Il saisit finalement le sorcier par le poignet, mais celui-ci répliqua par un violent coup de pied au thorax.

Sous le choc, le jeune quartier-maître lâcha prise, laissant alors l'homme en profiter pour attraper la corde et commencer à descendre vers l'épave. Le sorcier parcourut quelques mètres énergiquement avant de se sentir soudainement tiré vers l'arrière. Pendant qu'il se débattait avec vigueur, le bas de sa chemise sortit de son pantalon et le précieux joyau lui échappa. Horrifié, il tendit sa main pour le rattraper, mais il reçut aussitôt un vif coup de pied sous le menton et perdit connaissance.

Flibus eut juste le temps de s'étirer pour agripper le collier du bout des doigts. Il tourna ensuite la tête vers le sorcier et le vit flotter, sans réaction, les bras et les jambes légèrement écartés. Il hésita un instant à remonter à la surface pour rapporter le collier au maharadjah, quand une lueur attira tout à coup son attention. En baissant son regard, il nota que l'une des perles s'était allumée. Il se rappela alors le message que le vieil homme avait délivré à Mumbai. Gagné par la curiosité, il nagea finalement vers l'épave, en sachant qu'il était capable de rester près de quatre minutes en apnée. Au fur et à mesure qu'il progressait, d'autres perles se mirent à briller. Il entra directement par une écoutille et s'engagea aussitôt vers la droite. Il remarqua cependant que l'une des perles venait de perdre son éclat et comprit qu'il avait pris la mauvaise direction. Il repartit donc vers la gauche et la même s'illumina à nouveau. Une autre s'éclaira peu après, ce qui l'encouragea à continuer. Droit devant, il remarqua bientôt une large ouverture dans la coque appuyée contre le récif. Des morceaux de roches s'étaient carrément engouffrés dans l'épave. Flibus vit également l'une de ces cheminées sous-marines qui rejetaient habituellement leurs fumées chaudes et toxiques dans l'eau, mais celle-ci semblait avoir été arrachée de la paroi rocheuse par le navire. Son regard s'y arrêta brièvement quand, juste à côté, il aperçut une silhouette enchaînée. Il s'en approcha, même s'il n'allait pas tarder à manquer d'air. Il pensait avoir encore un peu de temps devant lui s'il pouvait sortir par la brèche creusée dans la coque et éviter ainsi de refaire tout le tour du navire.

Le jeune quartier-maître comprit rapidement qu'il avait retrouvé la bien-aimée du maharadjah en voyant la dernière perle s'illuminer. C'était la plus grosse perle, celle qui était fixée au centre de la rangée du bas. Le collier resplendissait maintenant d'une beauté surnaturelle, mais Flibus ne le remarqua pas vraiment. Il dirigea plutôt son regard vers la dépouille, qui semblait avoir été mystérieusement momifiée. La surface de son corps présentait une étrange couleur verdâtre semblable à celle de la substance durcie qui s'échappait de la cheminée sous-marine située à proximité. Flibus fit brièvement le rapprochement, puis il fut pris d'une soudaine tentation de poser lui-même le collier sur le corps. L'air commençait à lui manquer, mais il ne pouvait s'empêcher de rester là.

Comme hypnotisé, il s'apprêtait à parer le cou flétri de la momie quand, tout à coup, une main ferme l'agrippa par le bras. Il crut aussitôt au retour du sorcier et laissa échapper une bulle d'air sous l'effet de la surprise. Mais en tournant la tête, il reconnut avec soulagement le fantôme du maharadjah. Ce dernier lui sourit, avant de tendre la main. Flibus n'hésita pas, cette fois-ci, et rendit enfin le collier à son propriétaire. Il s'écarta ensuite et sortit par la brèche creusée dans la coque.

De retour à la surface, le jeune quartier-maître avala l'air par grandes bouffées. L'épais brouillard s'était dissipé. Bientôt, il entendit la voix de ses compagnons qui se réjouissaient de le voir réapparaître sain et sauf. Non loin de là, la goélette éventrée finissait de couler avec son équipage. Quelques hommes étaient parvenus à regagner la petite île à proximité, mais Flibus ne distingua pas le sorcier parmi les rescapés. « Peut-être s'est-il noyé ? » songea-t-il, avant que son attention ne soit attirée par un jet d'eau juste derrière lui. Le temps de tourner la tête, il vit deux silhouettes illuminées jaillir dans les airs. Il reconnut sans mal le maharadjah et sa bien-aimée, libérée de ses chaînes. Sa grande beauté le frappa aussitôt, mais il fut surtout émerveillé par le déplacement majestueux de ces deux êtres qui s'étaient enfin retrouvés. Il les vit tournoyer dans une sorte de valse nuptiale. Il n'avait jamais rien vu d'aussi beau. Assistant au même spectacle depuis le pont de *La Fleur de lys*, ses compagnons étaient tout aussi ébahis que lui. La danse dura quelques instants au-dessus des eaux, puis le couple regagna le bateau hanté dans une traînée de lumière. Une fois posés sur le gaillard d'avant, le maharadjah et sa compagne, se tenant par la taille, échangèrent avec leurs amis de nombreux signes de la main, puis ils se laissèrent transporter sur leur navire.

La Tête de mort ne cacha pas non plus son émotion en participant aux adieux. Avec son précieux foulard tout propre, qu'elle agitait vivement dans les airs, elle salua généreusement les deux amoureux que le destin avait enfin réunis. Elle suivit ensuite le retour à bord de Flibus, acclamé par tout l'équipage pour son exploit, et attendit avec impatience la décision du capitaine sur leur prochaine destination.

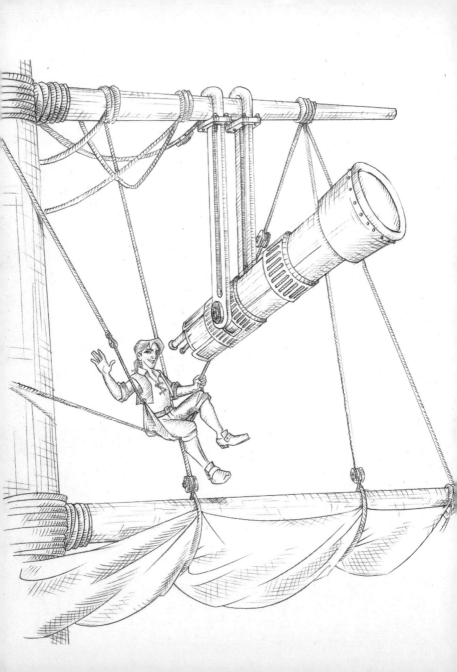

DANS LA MÊME COLLECTION

ISBN 978-2-89595-302-9

ISBN 978-2-89595-301-2

ISBN 978-2-89595-303-6

ISBN 978-2-89595-379-1

ISBN 978-2-89595-293-0

ISBN 978-2-89595-442-2

ISBN 978-2-89595-527-6